ITEM O/P RARE 2 85

CURREN PRICE 380

Le manteau d'Arlequin

Eugène Ionesco

le rhinocéros

pièce
en trois actes et quatre tableaux

E 70

nrf

Gallimard

842.91
I64 rh

à Geneviève Serreau
et au Docteur T. Fraenkel

PERSONNAGES

par ordre d'entrée en scène :

	TABLEAU
LA MÉNAGÈRE	1er.
L'EPICIÈRE	1er.
JEAN	1er, 3e.
BÉRENGER	1er, 2e, 3e, 4e.
LA SERVEUSE	1er.
L'EPICIER	1er.
LE VIEUX MONSIEUR	1er.
LE LOGICIEN	1er.
LE PATRON DU CAFÉ	1er.
DAISY	1er, 2e, 4e.
MONSIEUR PAPILLON	2e.
DUDARD	2e, 4e.
BOTARD	2e.
MADAME BŒUF	2e.
UN POMPIER	2e.
MONSIEUR JEAN	3e.
LA FEMME DE MONSIEUR JEAN	3e.
Plusieurs TÊTES DE RHINOCÉROS.	

ACTE PREMIER

DÉCOR

Une place dans une petite ville de province. Au fond, une maison composée d'un rez-de-chaussée et d'un étage. Au rez-de-chaussée, la devanture d'une épicerie. On y entre par une porte vitrée qui surmonte deux ou trois marches. Au-dessus de la devanture est écrit en caractères très visibles le mot : « ÉPICERIE ». Au premier étage, deux fenêtres qui doivent être celles du logement des épiciers. L'épicerie se trouve donc dans le fond du plateau, mais assez sur la gauche, pas loin des coulisses. On aperçoit, au-dessus de la maison de l'épicerie, le clocher d'une église, dans le lointain. Entre l'épicerie et le côté droit, la perspective d'une petite rue. Sur la droite, légèrement en biais, la devanture d'un café. Au-dessus du café, un étage avec une fenêtre. Devant la terrasse de ce café : plusieurs tables et chaises s'avancent jusque près du milieu du plateau. Un arbre poussiéreux près des chaises de la terrasse. Ciel bleu, lumière crue, murs très blancs. C'est un dimanche, pas loin de midi, en été. Jean et Bérenger iront s'asseoir à une table de la terrasse.

Avant le lever du rideau, on entend carillonner. Le carillon cessera quelques secondes après le lever du rideau. Lorsque le rideau se lève, une femme portant sous un bras un panier à provisions vide, et sous l'autre un chat, traverse en silence la scène, de droite à gauche. A son passage, l'épicière ouvre la porte de la boutique et la regarde passer.

L'Epicière. — Ah, celle-là ! (*A son mari qui est dans la boutique.*) Ah, celle-là, elle est fière. Elle ne veut plus acheter chez nous. (*L'épicière disparaît, plateau vide quelques secondes.*)

> *Par la droite, apparaît Jean; en même temps, par la gauche, apparaît Bérenger. Jean est très soigneusement vêtu : costume marron, cravate rouge, faux col amidonné, chapeau marron. Il est un peu rougeaud de figure. Il a des souliers jaunes, bien cirés; Bérenger n'est pas rasé, il est tête nue, les cheveux mal peignés, les vêtements chiffonnés; tout exprime chez lui la négligence, il a l'air fatigué, somnolent; de temps à autre, il bâille.*

Jean (*venant de la droite*). — Vous voilà tout de même, Bérenger.

Bérenger (*venant de la gauche*). — Bonjour, Jean.

Jean. — Toujours en retard, évidemment ! (*Il regarde sa montre-bracelet.*) Nous avions rendez-vous à onze heures trente. Il est bientôt midi.

Bérenger. — Excusez-moi. Vous m'attendez depuis longtemps ?

Jean. — Non. J'arrive, vous voyez bien. (*Ils vont s'asseoir à une des tables de la terrasse du café.*)

Bérenger. — Alors, je me sens moins coupable, puisque... vous-même...

Jean. — Moi, c'est pas pareil, je n'aime pas attendre, je n'ai pas de temps à perdre. Comme vous ne venez jamais à l'heure, je viens exprès en retard, au moment où je suppose avoir la chance de vous trouver.

Bérenger. — C'est juste... c'est juste, pourtant...

Jean. — Vous ne pouvez affirmer que vous venez à l'heure convenue !

Bérenger. — Evidemment... je ne pourrais l'affirmer. (*Jean et Bérenger se sont assis.*)

Jean. — Vous voyez bien.

Bérenger. — Qu'est-ce que vous buvez ?

Jean. — Vous avez soif, vous, dès le matin ?

Bérenger. — Il fait tellement chaud, tellement sec.

Jean. — Plus on boit, plus on a soif, dit la science populaire...

Bérenger. — Il ferait moins sec, on aurait

15

moins soif si on pouvait faire venir dans notre ciel des nuages scientifiques.

JEAN (*examinant Bérenger*). — Ça ne ferait pas votre affaire. Ce n'est pas d'eau que vous avez soif, mon cher Bérenger...

BÉRENGER. — Que voulez-vous dire par là, mon cher Jean ?

JEAN. — Vous me comprenez très bien. Je parle de l'aridité de votre gosier. C'est une terre insatiable.

BÉRENGER. — Votre comparaison, il me semble...

JEAN (*l'interrompant*). — Vous êtes dans un triste état, mon ami.

BÉRENGER. — Dans un triste état, vous trouvez ?

JEAN. — Je ne suis pas aveugle. Vous tombez de fatigue, vous avez encore perdu la nuit, vous bâillez, vous êtes mort de sommeil...

BÉRENGER. — J'ai un peu mal aux cheveux...

JEAN. — Vous puez l'alcool !

BÉRENGER. — J'ai un petit peu la gueule de bois, c'est vrai !

JEAN. — Tous les dimanches matin, c'est pareil, sans compter les jours de la semaine.

BÉRENGER. — Ah non, en semaine c'est moins fréquent, à cause du bureau...

JEAN. — Et votre cravate, où est-elle ? Vous l'avez perdue dans vos ébats !

BÉRENGER (*mettant la main à son cou*). —
Tiens, c'est vrai, c'est drôle, qu'est-ce que j'ai
bien pu en faire ?

JEAN (*sortant une cravate de la poche de son
veston*). — Tenez, mettez celle-ci.

BÉRENGER. — Oh, merci, vous êtes bien obli-
geant. (*Il noue la cravate à son cou.*)

JEAN (*pendant que Bérenger noue sa cravate
au petit bonheur*). — Vous êtes tout décoiffé !
(*Bérenger passe les doigts dans ses cheveux.*)
Tenez, voici un peigne ! (*Il sort un peigne de
l'autre poche de son veston.*)

BÉRENGER (*prenant le peigne*). — Merci. (*Il
se peigne vaguement.*)

JEAN. — Vous ne vous êtes pas rasé ! Regardez la tête que vous avez. (*Il sort une petite
glace de la poche intérieure de son veston, la
tend à Bérenger qui s'y examine; en se regardant dans la glace, il tire la langue.*)

BÉRENGER. — J'ai la langue bien chargée.

JEAN (*reprenant la glace et la remettant dans
sa poche*). — Ce n'est pas étonnant !... (*Il reprend aussi le peigne que lui tend Bérenger,
et le remet dans sa poche.*) La cirrhose vous
menace, mon ami.

BÉRENGER (*inquiet*). — Vous croyez ?...

JEAN (*à Bérenger qui veut lui rendre la cravate*). — Gardez la cravate, j'en ai en réserve.

BÉRENGER (*admiratif*). — Vous êtes soigneux, vous.

JEAN (*continuant d'inspecter Bérenger*). — Vos vêtements sont tout chiffonnés, c'est lamentable, votre chemise est d'une saleté repoussante, vos souliers... (*Bérenger essaye de cacher ses pieds sous la table.*) Vos souliers ne sont pas cirés... Quel désordre !... Vos épaules...

BÉRENGER. — Qu'est-ce qu'elles ont, mes épaules ?...

JEAN. — Tournez-vous. Allez, tournez-vous. Vous vous êtes appuyé contre un mur... (*Bérenger étend mollement sa main vers Jean.*) Non, je n'ai pas de brosse sur moi. Cela gonflerait les poches. (*Toujours mollement, Bérenger donne des tapes sur ses épaules pour en faire sortir la poussière blanche; Jean écarte la tête.*) Oh là là... Où donc avez-vous pris cela ?

BÉRENGER. — Je ne m'en souviens pas.

JEAN. — C'est lamentable, lamentable ! J'ai honte d'être votre ami.

BÉRENGER. — Vous êtes bien sévère...

JEAN. — On le serait à moins !

BÉRENGER. — Ecoutez, Jean. Je n'ai guère de distractions, on s'ennuie dans cette ville, je ne suis pas fait pour le travail que j'ai... tous les jours, au bureau, pendant huit heures, trois semaines seulement de vacances en été! Le samedi soir, je suis plutôt fatigué, alors, vous me comprenez, pour me détendre...

JEAN. — Mon cher, tout le monde travaille et moi aussi, moi aussi comme tout le monde, je fais tous les jours mes huit heures de bureau, moi aussi, je n'ai que vingt et un jours de congé par an, et pourtant, pourtant vous me voyez... De la volonté, que diable !...

BÉRENGER. — Oh, de la volonté, tout le monde n'a pas la vôtre. Moi je ne m'y fais pas. Non, je ne m'y fais pas, à la vie.

JEAN. — Tout le monde doit s'y faire. Seriez-vous une nature supérieure ?

BÉRENGER. — Je ne prétends pas...

JEAN (*interrompant*). — Je vous vaux bien; et même, sans fausse modestie, je vaux mieux que vous. L'homme supérieur est celui qui remplit son devoir.

BÉRENGER. — Quel devoir ?

JEAN. — Son devoir... son devoir d'employé par exemple.

BÉRENGER. — Ah oui, son devoir d'employé...

JEAN. — Où donc ont eu lieu vos libations cette nuit ? Si vous vous en souvenez !

BÉRENGER. — Nous avons fêté l'anniversaire d'Auguste, notre ami Auguste...

JEAN. — Notre ami Auguste ? On ne m'a pas invité, moi, pour l'anniversaire de notre ami Auguste... (*A ce moment, on entend le bruit très éloigné, mais se rapprochant très vite, d'un souffle de fauve et de sa course précipitée, ainsi qu'un long barrissement.*)

BÉRENGER. — Je n'ai pas pu refuser. Cela n'aurait pas été gentil...

JEAN. — Y suis-je allé, moi ?

BÉRENGER. — C'est peut-être, justement, parce que vous n'avez pas été invité !...

LA SERVEUSE (*sortant du café*). — Bonjour, Messieurs, que désirez-vous boire ? (*Les bruits sont devenus très forts.*)

JEAN (*à Bérenger et criant presque pour se faire entendre, au-dessus des bruits qu'il ne perçoit pas consciemment*). — Non, il est vrai, je n'étais pas invité. On ne m'a pas fait cet honneur... Toutefois, je puis vous assurer que même si j'avais été invité, je ne serais pas venu, car... (*Les bruits sont devenus énormes.*) Que se passe-t-il ? (*Les bruits du galop d'un animal puissant et lourd sont tout proches, très accélérés; on entend son halètement.*) Mais qu'est-ce que c'est ?

LA SERVEUSE. — Mais qu'est-ce que c'est ? (*Bérenger, toujours indolent, sans avoir l'air d'entendre quoi que ce soit, répond tranquillement à Jean au sujet de l'invitation; il remue les lèvres; on n'entend pas ce qu'il dit; Jean se lève d'un bond, fait tomber sa chaise en se levant, regarde du côté de la coulisse gauche, en montrant du doigt, tandis que Bérenger, toujours un peu vaseux, reste assis.*)

JEAN. — Oh, un rhinocéros ! (*Les bruits produits par l'animal s'éloigneront à la même vitesse si bien que l'on peut déjà distinguer les paroles qui suivent; toute cette scène doit être jouée très vite, répétant :*) Oh ! un rhinocéros !

LA SERVEUSE. — Oh ! un rhinocéros !

L'EPICIÈRE (*qui montre sa tête par la porte de son épicerie*). — Oh ! un rhinocéros ! (*A son mari, resté dans la boutique.*) Viens vite voir, un rhinocéros ! (*Tous suivent du regard, à gauche, la course du fauve.*)

JEAN. — Il fonce droit devant lui, frôle les étalages !

L'EPICIER (*dans sa boutique*). — Où ça ?

LA SERVEUSE (*mettant les mains sur les hanches*). — Oh !

L'EPICIÈRE (*à son mari qui est toujours dans sa boutique*). — Viens voir ! (*Juste à ce moment l'Epicier montre sa tête.*)

L'EPICIER (*montrant sa tête*). — Oh, un rhinocéros !

Le LOGICIEN (*venant vite en scène par la gauche*). — Un rhinocéros, à toute allure, sur le trottoir d'en face ! (*Toutes ces répliques, à partir de : « oh, un rhinocéros » dit par Jean sont presque simultanées. On entend un « ah » poussé par une femme. Elle apparaît. Elle court jusqu'au milieu du plateau; c'est la Ménagère avec son panier au bras; une fois arrivée au milieu du plateau, elle laisse tomber son panier; ses provisions se répandent sur la scène, une bouteille se brise, mais elle ne lâche pas le chat tenu sous l'autre bras.)*

LA MÉNAGÈRE. — Ah ! Oh ! (*Le Vieux Monsieur élégant venant de la gauche, à la suite de la Ménagère, se précipite dans la boutique des épiciers, les bouscule, entre, tandis que le Logicien ira se plaquer contre le mur du fond, à gauche de l'entrée de l'épicerie. Jean et la Serveuse debout, Bérenger assis, toujours apathique, forment un autre groupe. En même temps, on a pu entendre en provenance de la gauche des « oh! », des « ah ! », des pas de gens qui fuient. La poussière, soulevée par le fauve, se répand sur le plateau.)*

LE PATRON (*sortant sa tête par la fenêtre à l'étage au-dessus du café*). — Que se passe-t-il ?

LE VIEUX MONSIEUR (*disparaissant derrière les épiciers*). — Pardon ! (*Le Vieux Monsieur élégant a des guêtres blanches, un chapeau mou, une canne à pommeau d'ivoire; le logicien est plaqué contre le mur, il a une petite moustache grise, des lorgnons, il est coiffé d'un canotier.*)

L'ÉPICIÈRE (*bousculée et bousculant son mari, au Vieux Monsieur*). — Attention, vous, avec votre canne !

L'Epicier. — Non, mais des fois, attention ! (*On verra la tête du Vieux Monsieur derrière les épiciers.*)

La Serveuse (*au Patron*). — Un rhinocéros !

Le Patron (*de sa fenêtre, à la Serveuse*). — Vous rêvez ! (*Voyant le rhinocéros :*) Oh, ça alors !

La Ménagère. — Ah ! (*Les « oh » et les « ah » des coulisses sont comme un arrière-fond sonore à son « ah » à elle; la Ménagère, qui a laissé tomber son panier à provisions et la bouteille, n'a donc pas laissé tomber son chat qu'elle tient sous l'autre bras.*) Pauvre minet, il a eu peur !

Le Patron (*regardant toujours vers la gauche, suivant des yeux la course de l'animal, tandis que les bruits produits par celui-ci vont en décroissant : sabots, barrissements, etc. Bérenger, lui, écarte simplement un peu la tête, à cause de la poussière, un peu endormi, sans rien dire; il fait simplement une grimace*). — Ça alors !

Jean (*écartant lui aussi un peu la tête, mais avec vivacité*). — Ça alors ! (*Il éternue.*)

La Ménagère (*au milieu du plateau, mais elle s'est retournée vers la gauche; les provisions sont répandues par terre autour d'elle*). — Ça alors ! (*Elle éternue.*)

Le Vieux Monsieur, l'Epicière, l'Epicier

23

(*au fond, réouvrant la porte vitrée de l'épicerie, que le Vieux Monsieur avait refermée derrière lui*). — Ça alors !

JEAN. — Ça alors ! (*A Bérenger :*) Vous avez vu ? (*Les bruits produits par le rhinocéros, son barrissement, se sont bien éloignés; les gens suivent encore du regard l'animal, debout, sauf Bérenger, toujours apathique et assis.*)

TOUS (*sauf Bérenger*). — Ça alors !

BÉRENGER (*à Jean*). — Il me semble, oui, c'était un rhinocéros ! Ça en fait de la poussière ! (*Il sort son mouchoir, se mouche.*)

LA MÉNAGÈRE. — Ça alors ! Ce que j'ai eu peur !

L'ÉPICIER (*à la Ménagère*). — Votre panier... vos provisions...

LE VIEUX MONSIEUR (*s'approchant de la Dame et se baissant pour ramasser les provisions éparpillées sur le plancher. Il la salue galamment, enlevant son chapeau.*)

LE PATRON. — Tout de même, on n'a pas idée...

LA SERVEUSE. — Par exemple !...

LE VIEUX MONSIEUR (*à la Dame*). — Voulez-vous me permettre de vous aider à ramasser vos provisions ?

LA DAME (*au Vieux Monsieur*). — Merci, Monsieur. Couvrez-vous, je vous prie. Oh, ce que j'ai eu peur.

Le Logicien. — La peur est irrationnelle. La raison doit la vaincre.

La Serveuse. — On ne le voit déjà plus.

Le Vieux Monsieur (*à la Ménagère, montrant le Logicien*). — Mon ami est logicien.

Jean (*à Bérenger*). — Qu'est-ce que vous en dites ?

La Serveuse. — Ça va vite ces animaux-là !

La Ménagère (*au Logicien*). — Enchantée, Monsieur.

L'Epicière (*à l'Epicier*). — C'est bien fait pour elle. Elle n'a pas acheté chez nous.

Jean (*au Patron et à la Serveuse*). — Qu'est-ce que vous en dites ?

La Ménagère. — Je n'ai quand même pas lâché mon chat.

Le Patron (*haussant les épaules, à la fenêtre*). — On voit pas ça souvent !

La Ménagère (*au Logicien, tandis que le Vieux Monsieur ramasse les provisions*). — Voulez-vous le garder un instant ?

La Serveuse (*à Jean*). — J'en avais jamais vu !

Le Logicien (*à la Ménagère, prenant le chat dans ses bras*). — Il n'est pas méchant ?

Le Patron (*à Jean*). — C'est comme une comète !

La Ménagère (*au Logicien*). — Il est gentil

comme tout. (*Aux autres.*) Mon vin, au prix
où il est !

L'Epicier (*à la Ménagère*). — J'en ai, c'est
pas ça qui manque !

Jean (*à Bérenger*). — Dites, qu'est-ce que
vous en dites ?

L'Epicier (*à la Ménagère*). — Et du bon !

Le Patron (*à la Serveuse*). — Ne perdez pas
votre temps ! Occupez-vous de ces Messieurs !
(*Il montre Bérenger et Jean; il rentre sa tête.*)

Bérenger (*à Jean*). — De quoi parlez-vous ?

L'Epicière (*à l'Epicier*). — Va donc lui porter une autre bouteille !

Jean (*à Bérenger*). — Du rhinocéros, voyons,
du rhinocéros !

L'Epicier (*à la Ménagère*). — J'ai du bon vin,
dans des bouteilles incassables ! (*Il disparaît
dans la boutique.*)

Le Logicien (*caressant le chat dans ses bras*).
— Minet ! minet ! minet !

La Serveuse (*à Bérenger et à Jean*). — Que
voulez-vous boire ?

Bérenger (*à la Serveuse*). — Deux pastis !

La Serveuse. — Bien, Monsieur. (*Elle se dirige vers l'entrée du café.*)

La Ménagère (*ramassant ses provisions aidée
par le Vieux Monsieur*). — Vous êtes bien aimable, Monsieur.

La Serveuse. — Alors, deux pastis ! (*Elle entre dans le café.*)

Le Vieux Monsieur (*à la Ménagère*). — C'est la moindre des choses, chère Madame. (*L'Epicière entre dans sa boutique.*)

Le Logicien (*au Monsieur, à la Ménagère, qui sont en train de ramasser les provisions*). — Remettez-les méthodiquement.

Jean (*à Bérenger*). — Alors, qu'est-ce que vous en dites ?

Bérenger (*à Jean, ne sachant quoi dire*). — Ben... rien... Ça fait de la poussière...

L'Epicier (*sortant de la boutique avec une bouteille de vin, à la Ménagère*). — J'ai aussi des poireaux.

Le Logicien (*toujours caressant le chat dans ses bras*). — Minet ! minet ! minet !

L'Epicier (*à la Ménagère*). — C'est cent francs le litre.

La Ménagère (*donnant l'argent à l'Epicier, puis s'adressant au Vieux Monsieur qui a réussi à tout remettre dans le panier*). — Vous êtes bien aimable. Ah, la politesse française ! C'est pas comme les jeunes d'aujourd'hui.

L'Epicier (*prenant l'argent de la Ménagère*). — Il faudra venir acheter chez nous. Vous n'aurez pas à traverser la rue. Vous ne risquerez plus les mauvaises rencontres ! (*Il rentre dans sa boutique.*)

JEAN (*qui s'est rassis et pense toujours au rhinocéros*). — C'est tout de même extraordinaire !

LE VIEUX MONSIEUR (*il soulève son chapeau, baise la main de la Ménagère*). — Très heureux de vous connaître !

LA MÉNAGÈRE (*au Logicien*). — Merci, Monsieur, d'avoir tenu mon chat. (*Le Logicien rend le chat à la Ménagère. La Serveuse réapparaît avec les consommations.*)

LA SERVEUSE. — Voici vos pastis, Messieurs !

JEAN (*à Bérenger*). — Incorrigible !

LE VIEUX MONSIEUR (*à la Ménagère*). — Puis-je vous faire un bout de conduite ?

BÉRENGER (*à Jean, montrant la Serveuse qui rentre de nouveau dans la boutique*). — J'avais demandé de l'eau minérale. Elle s'est trompée. (*Jean hausse les épaules, méprisant et incrédule.*)

LA MÉNAGÈRE (*au Vieux Monsieur*). — Mon mari m'attend, cher Monsieur. Merci. Ce sera pour une autre fois !

LE VIEUX MONSIEUR (*à la Ménagère*). — Je l'espère de tout mon cœur, chère Madame.

LA MÉNAGÈRE (*au Vieux Monsieur*). — Moi aussi ! (*Yeux doux, puis elle sort par la gauche.*)

BÉRENGER. — Il n'y a plus de poussière... (*Jean hausse de nouveau les épaules.*)

LE VIEUX MONSIEUR (*au Logicien, suivant du regard la Ménagère*). — Délicieuse !...

JEAN (*à Bérenger*). — Un rhinocéros ! Je n'en reviens pas ! (*Le Vieux Monsieur et le Logicien se dirigent vers la droite, doucement, par où ils vont sortir. Ils devisent tranquillement.*)

LE VIEUX MONSIEUR (*au Logicien, après avoir jeté un dernier coup d'œil en direction de la Ménagère*). — Charmante, n'est-ce pas ?

LE LOGICIEN (*au Vieux Monsieur*). — Je vais vous expliquer le syllogisme.

LE VIEUX MONSIEUR. — Ah oui, le syllogisme !

JEAN (*à Bérenger*). — Je n'en reviens pas ! C'est inadmissible. (*Bérenger bâille.*)

LE LOGICEN (*au Vieux Monsieur*). — Le syllogisme comprend la proposition principale, la secondaire, et la conclusion.

LE VIEUX MONSIEUR. — Quelle conclusion ? (*Le Logicien et le Vieux Monsieur sortent.*)

JEAN. — Non, je n'en reviens pas.

BÉRENGER (*à Jean*). — Ça se voit que vous n'en revenez pas. C'était un rhinocéros, eh bien, oui, c'était un rhinocéros !... Il est loin... il est loin...

JEAN. — Mais voyons, voyons... C'est inouï ! Un rhinocéros en liberté dans la ville, cela ne vous surprend pas ? On ne devrait pas le permettre ! (*Bérenger bâille.*) Mettez donc la main devant votre bouche !...

BÉRENGER. — Ouais... ouais... On ne devrait pas le permettre. C'est dangereux. Je n'y avais pas pensé. Ne vous en faites pas, nous sommes hors d'atteinte.

JEAN. — Nous devrions protester auprès des autorités municipales ! A quoi sont-elles bonnes les autorités municipales ?

BÉRENGER (*bâillant, puis mettant vivement la main à sa bouche*). — Oh, pardon... Peut-être le rhinocéros s'est-il échappé du jardin zoologique !

JEAN. — Vous rêvez debout !

BÉRENGER. — Je suis assis.

JEAN. — Assis ou debout, c'est la même chose.

BÉRENGER. — Il y a tout de même une différence.

JEAN. — Il ne s'agit pas de cela.

BÉRENGER. — C'est vous qui venez de dire que c'est la même chose, d'être assis ou debout...

JEAN. — Vous avez mal compris. Assis ou debout, c'est la même chose, quand on rêve !...

BÉRENGER. — Eh oui, je rêve... La vie est un rêve.

JEAN (*continuant*). — ...Vous rêvez quand

vous dites que le rhinocéros s'est échappé du jardin zoologique...

Bérenger. — J'ai dit : peut-être...

Jean (*continuant*). — ... car il n'y a plus de jardin zoologique dans notre ville depuis que les animaux ont été décimés par la peste... il y a fort longtemps...

Bérenger (*même indifférence*). — Alors, peut-être vient-il du cirque ?

Jean. — De quel cirque parlez-vous ?

Bérenger. — Je ne sais pas... un cirque ambulant.

Jean. — Vous savez bien que la mairie a interdit aux nomades de séjourner sur le territoire de la commune... Il n'en passe plus depuis notre enfance.

Bérenger (*s'empêchant de bâiller et n'y arrivant pas*). — Dans ce cas, peut-être était-il depuis lors resté caché dans les bois marécageux des alentours ?

Jean (*levant les bras au ciel*). — Les bois marécageux des alentours ! les bois marécageux des alentours !... Mon pauvre ami, vous êtes tout à fait dans les brumes épaisses de l'alcool.

Bérenger (*naïf*). — Ça c'est vrai... elles montent de l'estomac...

Jean. — Elles vous enveloppent le cerveau. Où connaissez-vous des bois marécageux dans

31

les alentours ?... Notre province est surnommée : « *La petite Castille* » tellement elle est désertique !

BÉRENGER (*excédé et assez fatigué*). — Que sais-je alors ? Peut-être s'est-il abrité sous un caillou ?... Peut-être a-t-il fait son nid sur une branche desséchée ?...

JEAN. — Si vous vous croyez spirituel, vous vous trompez, sachez-le ! Vous êtes ennuyeux avec... avec vos paradoxes ! Je vous tiens pour incapable de parler sérieusement !

BÉRENGER. — Aujourd'hui, aujourd'hui seulement... A cause de... parce que je... (*Il montre sa tête d'un geste vague.*)

JEAN. — Aujourd'hui, autant que d'habitude !

BÉRENGER. — Pas autant, tout de même.

JEAN. — Vos mots d'esprit ne valent rien !

BÉRENGER. — Je ne prétends nullement...

JEAN (*l'interrompant*). — Je déteste qu'on se paie ma tête !

BÉRENGER (*la main sur le cœur*). — Je ne me permettrais jamais, mon cher Jean...

JEAN (*l'interrompant*). — Mon cher Bérenger, vous vous le permettez...

BÉRENGER. — Non, ça non, je ne me le permets pas.

JEAN. — Si, vous venez de vous le permettre !

BÉRENGER. — Comment pouvez-vous penser...

Jean (*l'interrompant*). — Je pense ce qui est !

Bérenger. — Je vous assure...

Jean (*l'interrompant*). — ... Que vous vous payez ma tête !

Bérenger. — Vraiment, vous êtes têtu.

Jean. — Vous me traitez de bourrique, par-dessus le marché. Vous voyez bien, vous m'insultez.

Bérenger. — Cela ne peut pas me venir à l'esprit.

Jean. — Vous n'avez pas d'esprit !

Bérenger. — Raison de plus pour que cela ne me vienne pas à l'esprit.

Jean. — Il y a des choses qui viennent à l'esprit même de ceux qui n'en ont pas.

Bérenger. — Cela est impossible.

Jean. — Pourquoi cela est-il impossible ?

Bérenger. — Parce que c'est impossible.

Jean. — Expliquez-moi pourquoi cela est impossible, puisque vous prétendez être en mesure de tout expliquer...

Bérenger. — Je n'ai jamais prétendu une chose pareille.

Jean. — Alors, pourquoi vous en donnez-vous l'air ! Et, encore une fois, pourquoi m'insultez-vous ?

Bérenger. — Je ne vous insulte pas. Au contraire. Vous savez à quel point je vous estime.

Jean. — Si vous m'estimez, pourquoi me

contredisez-vous en prétendant qu'il n'est pas dangereux de laisser courir un rhinocéros en plein centre de la ville, surtout un dimanche matin, quand les rues sont pleines d'enfants... et aussi d'adultes...

BÉRENGER. — Beaucoup sont à la messe. Ceux-là ne risquent rien...

JEAN (*l'interrompant*). — Permettez... à l'heure du marché, encore.

BÉRENGER. — Je n'ai jamais affirmé qu'il n'était pas dangereux de laisser courir un rhinocéros dans la ville. J'ai dit tout simplement que je n'avais pas réfléchi à ce danger. Je ne me suis pas posé la question.

JEAN. — Vous ne réfléchissez jamais à rien !

BÉRENGER. — Bon, d'accord. Un rhinocéros en liberté, ça n'est pas bien.

JEAN. — Cela ne devrait pas exister.

BÉRENGER. — C'est entendu. Cela ne devrait pas exister. C'est même une chose insensée. Bien. Pourtant, ce n'est pas une raison de vous quereller avec moi pour ce fauve. Quelle histoire me cherchez-vous à cause d'un quelconque périssodactyle qui vient de passer tout à fait par hasard, devant nous ? Un quadrupède stupide qui ne mérite même pas qu'on en parle ! Et féroce en plus... Et qui a disparu aussi, qui n'existe plus. On ne va pas se préoccuper d'un animal qui n'existe pas. Parlons d'autre chose, mon cher Jean, parlons d'autre chose, les sujets de conversation ne manquent pas... (*Il bâille, il prend son verre.*) A votre santé ! (*A ce moment, le Logicien et le Vieux Monsieur entrent de nouveau, par la droite; ils iront s'installer, tout en parlant, à une des tables de la terrasse du café, assez loin de Bérenger et de Jean, en arrière et à droite de ceux-ci.*)

JEAN. — Laissez ce verre sur la table. Ne le buvez pas. (*Jean boit une grande gorgée de son pastis et pose le verre à moitié vide sur la table. Bérenger continue de tenir son verre dans la main, sans le poser, sans oser le boire non plus.*)

BÉRENGER. — Je ne vais tout de même pas le laisser au patron ! (*Il fait mine de vouloir boire.*)

JEAN. — Laissez-le, je vous dis.

BÉRENGER. — Bon. (*Il veut remettre le verre sur la table. A ce moment passe Daisy, jeune dactylo blonde, qui traverse le plateau, de droite à gauche. En apercevant Daisy, Bérenger se lève brusquement et en se levant il fait un geste maladroit; le verre tombe et mouille le pantalon de Jean.*) Oh, Daisy !

JEAN. — Attention ! Que vous êtes maladroit.

BÉRENGER. — C'est Daisy... excusez-moi... (*Il va se cacher, pour ne pas être vu par Daisy.*) Je ne veux pas qu'elle me voie... dans l'état où je suis.

JEAN. — Vous êtes impardonnable, absolument impardonnable ! (*Il regarde vers Daisy qui disparaît.*) Cette jeune fille vous effraie ?

BÉRENGER. — Taisez-vous, taisez-vous.

JEAN. — Elle n'a pas l'air méchant, pourtant !

BÉRENGER (*revenant vers Jean une fois que Daisy a disparu*). — Excusez-moi, encore une fois, pour...

JEAN. — Voilà ce que c'est de boire, vous n'êtes plus maître de vos mouvements, vous n'avez plus de force dans les mains, vous êtes ahuri, esquinté. Vous creusez votre propre tombe, mon cher ami. Vous vous perdez.

BÉRENGER. — Je n'aime pas tellement l'alcool. Et pourtant si je ne bois pas, ça ne va pas. C'est comme si j'avais peur, alors je bois pour ne plus avoir peur.

JEAN. — Peur de quoi ?

BÉRENGER. — Je ne sais pas trop. Des angoisses difficiles à définir. Je me sens mal à l'aise dans l'existence, parmi les gens, alors je prends un verre. Cela me calme, cela me détend, j'oublie.

JEAN. — Vous vous oubliez !

BÉRENGER. — Je suis fatigué, depuis des années fatigué. J'ai du mal à porter le poids de mon propre corps...

Jean. — C'est de la neurasthénie alcoolique, la mélancolie du buveur de vin...

Bérenger (*continuant*). — Je sens à chaque instant mon corps, comme s'il était de plomb, ou comme si je portais un autre homme sur le dos. Je ne me suis pas habitué à moi-même. Je ne sais pas si je suis moi. Dès que je bois un peu, le fardeau disparaît, et je me reconnais, je deviens moi.

Jean. — Des élucubrations Bérenger, regardez-moi. Je pèse plus que vous. Pourtant, je me sens léger, léger, léger ! (*Il bouge ses bras comme s'il allait s'envoler. Le Vieux Monsieur et le Logicien qui sont de nouveau entrés sur le plateau ont fait quelques pas sur la scène en devisant. Juste à ce moment, ils passent à côté de Jean et de Bérenger. Un bras de Jean heurte très fort le Vieux Monsieur qui bascule dans les bras du Logicien.*)

Le Logicien (*continuant la discussion*). — Un exemple de syllogisme... (*Il est heurté.*) Oh !...

Le Vieux Monsieur (*à Jean*). — Attention. (*Au Logicien.*) Pardon.

Jean (*au Vieux Monsieur*). — Pardon.

Le Logicien (*au Vieux Monsieur*). — Il n'y a pas de mal.

Le Vieux Monsieur (*à Jean*). — Il n'y a pas

de mal. (*Le Vieux Monsieur et le Logicien vont s'asseoir à l'une des tables de la terrasse, un peu à droite et derrière Jean et Bérenger.*)

BÉRENGER (*à Jean*). — Vous avez de la force.

JEAN. — Oui, j'ai de la force, j'ai de la force pour plusieurs raisons. D'abord, j'ai de la force, parce que j'ai de la force, ensuite j'ai de la force parce que j'ai de la force morale. J'ai aussi de la force parce que je ne suis pas alcoolisé. Je ne veux pas vous vexer, mon cher ami, mais je dois vous dire que c'est l'alcool qui pèse en réalité.

LE LOGICIEN (*au Vieux Monsieur*). — Voici donc un syllogisme exemplaire. Le chat a quatre pattes. Isidore et Fricot ont chacun quatre pattes. Donc Isidore et Fricot sont chats.

LE VIEUX MONSIEUR (*au Logicien*). — Mon chien aussi a quatre pattes.

LE LOGICIEN (*au Vieux Monsieur*). — Alors, c'est un chat.

BÉRENGER (*à Jean*). — Moi, j'ai à peine la force de vivre. Je n'en ai plus envie peut-être.

LE VIEUX MONSIEUR (*au Logicien après avoir longuement réfléchi*). — Donc, logiquement, mon chien serait un chat.

LE LOGICIEN (*au Vieux Monsieur*). — Logiquement, oui. Mais le contraire est aussi vrai.

BÉRENGER (*à Jean*). — La solitude me pèse. La société aussi.

JEAN (*à Bérenger*). — Vous vous contredisez. Est-ce la solitude qui pèse, ou est-ce la multitude ? Vous vous prenez pour un penseur et vous n'avez aucune logique.

LE VIEUX MONSIEUR (*au Logicien*). — C'est très beau, la logique.

LE LOGICIEN (*au Vieux Monsieur*). — A condition de ne pas en abuser.

BÉRENGER (*à Jean*). — C'est une chose anormale de vivre.

JEAN. — Au contraire. Rien de plus naturel. La preuve : tout le monde vit.

BÉRENGER. — Les morts sont plus nombreux que les vivants. Leur nombre augmente. Les vivants sont rares.

JEAN. — Les morts, ça n'existe pas, c'est le cas de le dire !... Ah ! Ah !... (*Gros rire.*) Ceux-là aussi vous pèsent ? Comment peuvent peser des choses qui n'existent pas ?

BÉRENGER. — Je me demande moi-même si j'existe !

JEAN (*à Bérenger*). — Vous n'existez pas, mon cher, parce que vous ne pensez pas ! Pensez, et vous serez.

LE LOGICIEN (*au Vieux Monsieur*). — Autre syllogisme : tous les chats sont mortels. Socrate est mortel. Donc Socrate est un chat.

Le Vieux Monsieur. — Et il a quatre pattes. C'est vrai, j'ai un chat qui s'appelle Socrate.

Le Logicien. — Vous voyez...

Jean (*à Bérenger*). — Vous êtes un farceur, dans le fond. Un menteur. Vous dites que la vie ne vous intéresse pas. Quelqu'un, cependant, vous intéresse !

Bérenger. — Qui ?

Jean. — Votre petite camarade de bureau, qui vient de passer. Vous en êtes amoureux !

Le Vieux Monsieur (*au Logicien*). — Socrate était donc un chat !

Le Logicien (*au Vieux Monsieur*). — La logique vient de nous le révéler.

Jean (*à Bérenger*). — Vous ne vouliez pas qu'elle vous voie dans le triste état où vous vous trouviez. (*Geste de Bérenger.*) Cela prouve que tout ne vous est pas indifférent. Mais comment voulez-vous que Daisy soit séduite par un ivrogne ?

Le Logicien (*au Vieux Monsieur*). — Revenons à nos chats.

Le Vieux Monsieur (*au Logicien*). — Je vous écoute.

Bérenger (*à Jean*). — De toute façon, je crois qu'elle a déjà quelqu'un en vue.

Jean (*à Bérenger*). — Qui donc ?

Bérenger. — Dudard. Un collègue du bureau : licencié en droit, juriste, grand avenir

dans la maison, de l'avenir dans le cœur de
Daisy; je ne peux pas rivaliser avec lui.

Le Logicien (*au Vieux Monsieur*). — Le chat
Isidore a quatre pattes.

Le Vieux Monsieur. — Comment le savez-
vous ?

Le Logicien. — C'est donné par hypothèse.

Bérenger (*à Jean*). — Il est bien vu par le
chef. Moi, je n'ai pas d'avenir, pas fait d'études, je n'ai aucune chance.

Le Vieux Monsieur (*au Logicien*). — Ah !
par hypothèse !

Jean (*à Bérenger*). — Et vous renoncez,
comme cela...

Bérenger (*à Jean*). — Que pourrais-je faire ?

Le Logicien (*au Vieux Monsieur*). — Fricot
aussi a quatre pattes. Combien de pattes auront
Fricot et Isidore ?

Le Vieux Monsieur (*au Logicien*). — Ensemble, ou séparément ?

Jean (*à Bérenger*). — La vie est une lutte,
c'est lâche de ne pas combattre !

Le Logicien (*au Vieux Monsieur*). — Ensemble, ou séparément, c'est selon.

Bérenger (*à Jean*). — Que voulez-vous, je
suis désarmé.

Jean. — Armez-vous, mon cher, armez-vous.

Le Vieux Monsieur (*au Logicien, après*

avoir péniblement réfléchi). — Huit, huit pattes.

LE LOGICIEN. — La logique mène au calcul mental.

LE VIEUX MONSIEUR. — Elle a beaucoup de facettes !

BÉRENGER (*à Jean*). — Où trouver les armes ?

LE LOGICIEN (*au Vieux Monsieur*). — La logique n'a pas de limites !

JEAN. — En vous-même. Par votre volonté.

BÉRENGER (*à Jean*). — Quelles armes ?

LE LOGICIEN (*au Vieux Monsieur*). — Vous allez voir...

JEAN (*à Bérenger*). — Les armes de la patience, de la culture, les armes de l'intelligence. (*Bérenger bâille*.) Devenez un esprit vif et brillant. Mettez-vous à la page.

BÉRENGER (*à Jean*). — Comment se mettre à la page ?

LE LOGICIEN (*au Vieux Monsieur*). — J'enlève deux pattes à ces chats. Combien leur en restera-t-il à chacun ?

LE VIEUX MONSIEUR. — C'est compliqué.

BÉRENGER (*à Jean*). — C'est compliqué.

LE LOGICIEN (*au Vieux Monsieur*). — C'est simple au contraire.

LE VIEUX MONSIEUR (*au Logicien*). — C'est facile pour vous, peut-être, pas pour moi.

Bérenger (*à Jean*). — C'est facile pour vous, peut-être, pas pour moi.

Le Logicien (*au Vieux Monsieur*). — Faites un effort de pensée, voyons. Appliquez-vous.

Jean (*à Bérenger*). — Faites un effort de volonté, voyons. Appliquez-vous.

Le Vieux Monsieur (*au Logicien*). — Je ne vois pas.

Bérenger (*à Jean*). — Je ne vois vraiment pas.

Le Logicien (*au Vieux Monsieur*). — On doit tout vous dire.

Jean (*à Bérenger*). — On doit tout vous dire.

Le Logicien (*au Vieux Monsieur*). — Prenez une feuille de papier, calculez. On enlève six pattes aux deux chats, combien de pattes restera-t-il à chaque chat ?

Le Vieux Monsieur. — Attendez... (*Il calcule sur une feuille de papier qu'il tire de sa poche.*)

Jean. — Voilà ce qu'il faut faire : vous vous habillez correctement, vous vous rasez tous les jours, vous mettez une chemise propre.

Bérenger (*à Jean*). — C'est cher, le blanchissage...

Jean (*à Bérenger*). — Economisez sur l'alcool. Ceci, pour l'extérieur : chapeau, cravate comme celle-ci, costume élégant, chaussures bien cirées. (*En parlant des éléments vestimen-*

taires, Jean montre, avec fatuité, son propre chapeau, sa propre cravate, ses propres souliers.)

LE VIEUX MONSIEUR (*au Logicien*). — Il y a plusieurs solutions possibles.

LE LOGICIEN (*au Vieux Monsieur*). — Dites.

BÉRENGER (*à Jean*). — Ensuite, que faire ? Dites...

LE LOGICIEN (*au Vieux Monsieur*). — Je vous écoute.

BÉRENGER (*à Jean*). — Je vous écoute.

JEAN (*à Bérenger*). — Vous êtes timide, mais vous avez des dons !

BÉRENGER (*à Jean*). — Moi, j'ai des dons ?

JEAN. — Mettez-les en valeur. Il faut être dans le coup. Soyez au courant des événements littéraires et culturels de notre époque.

LE VIEUX MONSIEUR (*au Logicien*). — Une première possibilité : un chat peut avoir quatre pattes, l'autre deux.

BÉRENGER (*à Jean*). — J'ai si peu de temps libre.

LE LOGICIEN. — Vous avez des dons, il suffisait de les mettre en valeur.

JEAN. — Le peu de temps libre que vous avez, mettez-le donc à profit. Ne vous laissez pas aller à la dérive.

LE VIEUX MONSIEUR. — Je n'ai guère eu le temps. J'ai été fonctionnaire.

Le Logicien (*au Vieux Monsieur*). — On
trouve toujours le temps de s'instruire.

Jean (*à Bérenger*). — On a toujours le temps.

Bérenger (*à Jean*). — C'est trop tard.

Le Vieux Monsieur (*au Logicien*). — C'est
un peu tard, pour moi.

Jean (*à Bérenger*). — Il n'est jamais trop
tard.

Le Logicien (*au Vieux Monsieur*). — Il n'est
jamais trop tard.

Jean (*à Bérenger*). — Vous avez huit heures
de travail, comme moi, comme tout le monde,
mais le dimanche, mais le soir, mais les trois
semaines de vacances en été ? Cela suffit, avec
de la méthode.

Le Logicien (*au Vieux Monsieur*). — Alors,
les autres solutions ? Avec méthode, avec méthode... (*Le Monsieur se met à calculer de nouveau.*)

Jean (*à Bérenger*). — Tenez, au lieu de boire
et d'être malade, ne vaut-il pas mieux être frais
et dispos, même au bureau? Et vous pouvez
passer vos moments disponibles d'une façon
intelligente.

Bérenger (*à Jean*). — C'est-à-dire ?...

Jean (*à Bérenger*). — Visitez les musées, lisez
des revues littéraires, allez entendre des confé-
rences. Cela vous sortira de vos angoisses, cela

vous formera l'esprit. En quatre semaines, vous êtes un homme cultivé.

Bérenger (*à Jean*). — Vous avez raison !

Le Vieux Monsieur (*au Logicien*). — Il peut y avoir un chat à cinq pattes...

Jean (*à Bérenger*). — Vous le dites vous-même.

Le Vieux Monsieur (*au Logicien*). — Et un autre chat à une patte. Mais alors seront-ils toujours des chats ?

Le Logicien (*au Vieux Monsieur*). — Pourquoi pas ?

Jean (*à Bérenger*). — Au lieu de dépenser tout votre argent disponible en spiritueux, n'est-il pas préférable d'acheter des billets de théâtre pour voir un spectacle intéressant. Connaissez-vous le théâtre d'avant-garde, dont on parle tant ? Avez-vous vu les pièces de Ionesco ?

Bérenger (*à Jean*). — Non, hélas ! J'en ai entendu parler seulement.

Le Vieux Monsieur (*au Logicien*). — En enlevant les deux pattes, sur huit, des deux chats...

Jean (*à Bérenger*). — Il en passe une, en ce moment. Profitez-en.

Le Vieux Monsieur. — Nous pouvons avoir un chat à six pattes...

BÉRENGER. — Ce sera une excellente initiation à la vie artistique de notre temps.

LE VIEUX MONSIEUR (*au Logicien*). — Et un chat, sans pattes du tout.

BÉRENGER. — Vous avez raison, vous avez raison. Je vais me mettre à la page, comme vous dites.

LE LOGICIEN (*au Vieux Monsieur*). — Dans ce cas, il y aurait un chat privilégié.

BÉRENGER (*à Jean*). — Je vous le promets.

JEAN. — Promettez-le vous, à vous-même surtout.

LE VIEUX MONSIEUR. — Et un chat aliéné de toutes ses pattes, déclassé ?

BÉRENGER. — Je me le promets solennellement. Je tiendrai parole à moi-même.

LE LOGICIEN. — Cela ne serait pas juste. Donc ce ne serait pas logique.

BÉRENGER (*à Jean*). — Au lieu de boire, je décide de cultiver mon esprit. Je me sens déjà mieux. J'ai déjà la tête plus claire.

JEAN. — Vous voyez bien !

LE VIEUX MONSIEUR (*au Logicien*). — Pas logique ?

BÉRENGER. — Dès cet après-midi, j'irai au musée municipal. Pour ce soir, j'achète deux places au théâtre. M'accompagnez-vous ?

LE LOGICIEN (*au Vieux Monsieur*). — Car la justice, c'est la logique.

JEAN (*à Bérenger*). — Il faudra persévérer. Il faut que vos bonnes intentions durent.

LE VIEUX MONSIEUR (*au Logicien*). — Je saisis. La justice...

BÉRENGER (*à Jean*). — Je vous le promets, je me le promets. M'accompagnez-vous au musée cet après-midi ?

JEAN (*à Bérenger*). — Cet après-midi, je fais la sieste, c'est dans mon programme.

LE VIEUX MONSIEUR (*au Logicien*). — La justice, c'est encore une facette de la logique.

BÉRENGER (*à Jean*). — Mais, vous voulez bien venir avec moi ce soir au théâtre ?

JEAN. — Non, pas ce soir.

LE LOGICIEN (*au Vieux Monsieur*). — Votre esprit s'éclaire !

JEAN (*à Bérenger*). — Je souhaite que vous persévériez dans vos bonnes intentions. Mais, ce soir, je dois rencontrer des amis à la brasserie.

BÉRENGER. — A la brasserie ?

LE VIEUX MONSIEUR (*au Logicien*). — D'ailleurs, un chat sans pattes du tout...

JEAN (*à Bérenger*). — J'ai promis d'y aller. Je tiens mes promesses.

LE VIEUX MONSIEUR (*au Logicien*). — ... ne pourrait plus courir assez vite pour attraper les souris.

BÉRENGER (*à Jean*). —Ah, mon cher, c'est à

votre tour de donner le mauvais exemple ! Vous allez vous enivrer.

Le Logicien (*au Vieux Monsieur*). — Vous faites déjà des progrès en logique ! (*On commence de nouveau à entendre, se rapprochant toujours très vite, un galop rapide, un barrissement, les bruits précipités des sabots d'un rhinocéros, son souffle bruyant, mais, cette fois, en sens inverse, du fond de la scène vers le devant, toujours en coulisse, à gauche.*)

Jean (*furieux, à Bérenger*). — Mon cher ami, une fois n'est pas coutume. Aucun rapport avec vous. Car vous... vous... ce n'est pas la même chose...

Bérenger (*à Jean*). — Pourquoi ne serait-ce pas la même chose ?

Jean (*criant pour dominer le bruit venant de la boutique*). — Je ne suis pas un ivrogne, moi !

Le Logicien (*au Vieux Monsieur*). — Même sans pattes, le chat doit attraper les souris. C'est dans sa nature.

Bérenger (*criant très fort*). — Je ne veux pas dire que vous êtes un ivrogne. Mais pourquoi le serais-je, moi, plus que vous, dans un cas semblable ?

Le Vieux Monsieur (*criant, au Logicien*). — Qu'est-ce qui est dans la nature du chat ?

Jean (*à Bérenger; même jeu*). — Parce que

tout est affaire de mesure. Contrairement à vous, je suis un homme mesuré.

LE LOGICIEN (*au Vieux Monsieur, mains en cornet à l'oreille*). — Qu'est-ce que vous dites ? (*Grands bruits couvrant les paroles des quatre personnages.*)

BÉRENGER (*mains en cornet à l'oreille, à Jean*). — Tandis que moi, quoi, qu'est-ce que vous dites ?

JEAN (*hurlant*). — Je dis que...

LE VIEUX MONSIEUR (*hurlant*). — Je dis que...

JEAN (*prenant conscience des bruits qui sont très proches*). — Mais, que se passe-t-il ?

LE LOGICIEN. — Mais, qu'est-ce que c'est ?

JEAN (*se lève, fait tomber sa chaise en se levant, regarde vers la coulisse gauche d'où proviennent les bruits d'un rhinocéros passant en sens inverse*). — Oh, un rhinocéros !

LE LOGICIEN (*se lève, fait tomber sa chaise*). — Oh, un rhinocéros !

LE VIEUX MONSIEUR (*même jeu*). — Oh, un rhinocéros !

BÉRENGER (*toujours assis, mais plus réveillé cette fois*). — Rhinocéros ! en sens inverse.

LA SERVEUSE (*sortant avec un plateau et des verres*). — Qu'est-ce que c'est ? Oh, un rhinocéros ! (*Elle laisse tomber le plateau; les verres se brisent.*)

Le Patron (*sortant de la boutique*). — Qu'est-ce que c'est ?

La Serveuse (*au Patron*). — Un rhinocéros !

Le Logicien. — Un rhinocéros, à toute allure sur le trottoir d'en face !

L'Epicier (*sortant de la boutique*). — Oh, un rhinocéros !

Jean. — Oh, un rhinocéros !

L'Epicière (*sortant la tête par la fenêtre, au-dessus de la boutique*). — Oh, un rhinocéros !

Le Patron (*à la Serveuse*). — Ce n'est pas une raison pour casser les verres.

Jean. — Il fonce droit devant lui, frôle les étalages.

Daisy (*venant de la gauche*). — Oh, un rhinocéros !

Bérenger (*apercevant Daisy*). — Oh, Daisy ! (*On entend des pas précipités de gens qui fuient, des oh, des ah, comme tout à l'heure.*)

La Serveuse. — Ça alors !

Le Patron (*à la Serveuse*). — Vous me la paierez, la casse ! (*Bérenger essaye de se dissimuler, pour ne pas être vu par Daisy. Le vieux Monsieur, le Logicien, l'Epicière, l'Epicier, se dirigent vers le mileu du plateau et disent :*

Ensemble. — Ça alors !

Jean *et* Bérenger. — Ça alors ! (*On entend un miaulement déchirant, puis le cri, tout aussi déchirant, d'une femme.*)

Tous. — Oh ! (*Presque au même instant, et tandis que les bruits s'éloignent rapidement, apparaît la Ménagère de tout à l'heure, sans son panier, mais tenant dans ses bras un chat tué et ensanglanté.*)

La Ménagère (*se lamentant*). — Il a écrasé mon chat, il a écrasé mon chat !

La Serveuse. — Il a écrasé son chat ! (*L'Epicier, l'Epicière, à la fenêtre, le Vieux Monsieur, Daisy, le Logicien, entourent la Ménagère, ils disent :*)

Ensemble. — Si c'est pas malheureux, pauvre petite bête !

Le Vieux Monsieur. — Pauvre petite bête !

Daisy *et* la Serveuse. — Pauvre petite bête !

L'Epicier, l'Epicière (*à la fenêtre*). Le Vieux Monsieur, le Logicien. — Pauvre petite bête !

Le Patron (*à la Serveuse, montrant les verres brisés, les chaises renversées*). — Que faites-vous donc ? Ramassez-moi cela ! (*A leur tour, Jean et Bérenger se précipitent, entourent la Ménagère qui se lamente toujours, le chat mort dans ses bras.*)

La Serveuse (*se dirigeant vers la terrasse du café pour ramasser les débris des verres et les chaises renversées, tout en regardant en arrière, vers la Ménagère*). — Oh, pauvre petite bête !

Le Patron (*indiquant du doigt, à la Ser-*

veuse, les chaises et les verres brisés). — Là, là !

Le Vieux Monsieur (*à l'Epicier*). — Qu'est-ce que vous en dites ?

Bérenger (*à la Ménagère*). — Ne pleurez pas, Madame, vous nous fendez le cœur !

Daisy (*à Bérenger*). — Monsieur Bérenger... Vous étiez là ? Vous avez vu ?

Bérenger (*à Daisy*). — Bonjour, Mademoiselle Daisy, je n'ai pas eu le temps de me raser, excusez-moi de...

Le Patron (*contrôlant le ramassage des débris puis jetant un coup d'œil vers la Ménagère*). — Pauvre petite bête !

La Serveuse (*ramassant les débris, le dos tourné à la Ménagère*). — Pauvre petite bête ! (*Evidemment, toutes ces répliques doivent être dites très rapidement, presque simultanément.*)

L'Epicière (*à la fenêtre*). — Ça, c'est trop fort !

Jean. — Ça, c'est trop fort !

La Ménagère (*se lamentant et berçant le chat mort dans ses bras*). — Mon pauvre Mitsou, mon pauvre Mitsou !

Le Vieux Monsieur (*à la Ménagère*). — J'aurais aimé vous revoir en d'autres circonstances !

Le Logicien (*à la Ménagère*). — Que voulez-vous, Madame, tous les chats sont mortels ! Il faut se résigner.

La Ménagère (*se lamentant*). — Mon chat, mon chat, mon chat !

Le Patron (*à la Serveuse qui a le tablier plein de brisures de verre*). — Allez, portez cela à la poubelle ! (*Il a relevé les chaises.*) Vous me devez mille francs !

La Serveuse (*rentrant dans la boutique; au Patron*). — Vous ne pensez qu'à vos sous.

L'Epicière (*à la Ménagère, de la fenêtre*). — Calmez-vous, Madame.

Le Vieux Monsieur (*à la Ménagère*). — Calmez-vous, chère Madame.

L'Epicière (*de la fenêtre*). — Ça fait de la peine, quand même !

La Ménagère. — Mon chat ! mon chat ! mon chat !

Daisy. — Ah oui, ça fait de la peine quand même.

Le Vieux Monsieur (*soutenant la Ménagère et se dirigeant avec elle à une table de la terrasse; il est suivi de tous les autres*). — Asseyez-vous là, Madame.

Jean (*au Vieux Monsieur*). — Qu'est-ce que vous en dites ?

L'Epicier (*au Logicien*). — Qu'est-ce que vous en dites ?

L'Epicière (*à Daisy, de la fenêtre*). — Qu'est-ce que vous en dites ?

Le Patron (*à la Serveuse qui réapparaît, tan-*

dis qu'on fait asseoir, à une des tables de la terrasse, la Ménagère en larmes, berçant toujours le chat mort). — Un verre d'eau pour Madame.

LE VIEUX MONSIEUR (*à la Dame*). — Asseyez-vous, chère Madame !

JEAN. — Pauvre femme !

L'EPICIÈRE (*de la fenêtre*). — Pauvre bête !

BÉRENGER (*à la Serveuse*). — Apportez-lui un cognac plutôt.

LE PATRON (*à la Serveuse*). — Un cognac ! (*Montrant Bérenger.*) C'est Monsieur qui paye ! (*La Serveuse entre dans la boutique en disant :*)

LA SERVEUSE. — Entendu, un cognac !

LA MÉNAGÈRE (*sanglotant*). — Je n'en veux pas, je n'en veux pas !

L'EPICIER. — Il est déjà passé tout à l'heure, devant la boutique.

JEAN (*à l'Epicier*). — Ça n'était pas le même !

L'EPICIER (*à Jean*). — Pourtant...

L'EPICIÈRE. — Oh si, c'était le même.

DAISY. — C'est la deuxième fois qu'il en passe ?

LE PATRON. — Je crois que c'était le même.

JEAN. — Non, ce n'était pas le même rhinocéros. Celui de tout à l'heure avait deux cornes sur le nez, c'était un rhinocéros d'Asie; celui-ci n'en avait qu'une, c'était un rhinocéros d'Afrique ! (*La Serveuse sort avec un verre de cognac, le porte à la Dame.*)

Le Vieux Monsieur. — Voilà du cognac, pour vous remonter.

La Ménagère (*en larmes*). — Noon...

Bérenger (*soudain énervé, à Jean*). — Vous dites des sottises !... Comment avez-vous pu distinguer les cornes ! Le fauve est passé à une telle vitesse, à peine avons-nous pu l'apercevoir...

Daisy (*à la Ménagère*). — Mais si, ça vous fera du bien !

Le Vieux Monsieur (*à Bérenger*). — En effet, il allait vite.

Le Patron (*à la Ménagère*). — Goûtez-y, il est bon.

Bérenger (*à Jean*). — Vous n'avez pas eu le temps de compter ses cornes...

L'Épicière (*à la Serveuse, de sa fenêtre*). — Faites-la boire.

Bérenger (*à Jean*). — En plus, il était enveloppé d'un nuage de poussière...

Daisy (*à la Ménagère*). — Buvez, Madame.

Le Vieux Monsieur (*à la même*). — Un petit coup, ma chère petite Dame... courage... (*La Serveuse fait boire la Ménagère, en portant le verre à ses lèvres; celle-ci fait mine de refuser, et boit quand même.*)

La Serveuse. — Voilà !

L'Épicière (*de sa fenêtre*) *et* Daisy. — Voilà !

Jean (*à Bérenger*). — Moi, je ne suis pas dans

le brouillard. Je calcule vite, j'ai l'esprit clair !

Le Vieux Monsieur (*à la Ménagère*). — Ça va mieux ?

Bérenger (*à Jean*). — Il fonçait tête baissée, voyons.

Le Patron (*à la Ménagère*). — N'est-ce pas qu'il est bon !

Jean (*à Bérenger*). — Justement, on voyait mieux.

La Ménagère (*après avoir bu*). — Mon chat !

Bérenger (*irrité, à Jean*). — Sottises ! Sottises !

L'Epicière (*de sa fenêtre, à la Ménagère*). — J'ai un autre chat, pour vous.

Jean (*à Bérenger*). — Moi ? Vous osez prétendre que je dis des sottises ?

La Ménagère (*à l'Epicière*). — Je n'en veux pas d'autre ! (*Elle sanglote, en berçant son chat.*)

Bérenger (*à Jean*). — Oui, parfaitement, des sottises.

Le Patron (*à la Ménagère*). — Faites-vous une raison !

Jean (*à Bérenger*). — Je ne dis jamais de sottises, moi !

Le Vieux Monsieur (*à la Ménagère*). — Soyez philosophe !

Bérenger (*à Jean*). — Et vous n'êtes qu'un prétentieux ! (*Elevant la voix :*) Un pédant...

LE PATRON (*à Jean et à Bérenger*). — Messieurs, Messieurs !

BÉRENGER (*à Jean, continuant*). — ... Un pédant, qui n'est pas sûr de ses connaissances, car, d'abord, c'est le rhinocéros d'Asie qui a une corne sur le nez, le rhinocéros d'Afrique, lui, en a deux... (*Les autres personnages délaissent la Ménagère, et vont entourer Jean et Bérenger qui discutent très fort.*)

JEAN (*à Bérenger*). — Vous vous trompez, c'est le contraire !

LA MÉNAGÈRE (*seule*). — Il était si mignon !

BÉRENGER. — Voulez-vous parier ?

LA SERVEUSE. — Ils veulent parier !

DAISY (*à Bérenger*). — Ne vous énervez pas, monsieur Bérenger.

JEAN (*à Bérenger*). — Je ne parie pas avec vous. Les deux cornes, c'est vous qui les avez ! Espèce d'Asiatique !

LA SERVEUSE. — Oh !

L'EPICIÈRE (*de la fenêtre, à l'Epicier*). — Ils vont se battre.

L'EPICIER (*à l'Epicière*). — Penses-tu, c'est un pari !

LE PATRON (*à Jean et à Bérenger*). — Pas de scandale ici.

LE VIEUX MONSIEUR. — Voyons... Quelle espèce de rhinocéros n'a qu'une corne sur le nez ?

(*A l'Epicier.*) Vous, qui êtes commerçant, vous devez savoir !

L'Epicière (*de la fenêtre, à l'Epicier*). — Tu devrais savoir !

Bérenger (*à Jean*). — Je n'ai pas de corne. Je n'en porterai jamais !

L'Epicier (*au Vieux Monsieur*). — Les commerçants ne peuvent pas tout savoir !

Jean (*à Bérenger*). — Si !

Bérenger (*à Jean*). — Je ne suis pas Asiatique non plus. D'autre part, les Asiatiques sont des hommes comme tout le monde...

La Serveuse. — Oui, les Asiatiques sont des hommes comme vous et moi...

Le Vieux Monsieur (*au Patron*). — C'est juste !

Le Patron (*à la Serveuse*). — On ne vous demande pas votre avis !

Daisy (*au Patron*). — Elle a raison. Ce sont des hommes comme nous. (*La Ménagère continue de se lamenter, pendant toute cette discussion.*)

La Ménagère. — Il était si doux, il était comme nous.

Jean (*hors de lui*). — Ils sont jaunes ! (*Le Logicien, à l'écart, entre la Ménagère et le groupe qui s'est formé autour de Jean et de Bérenger, suit la controverse attentivement, sans y participer.*)

JEAN. — Adieu, Messieurs ! (*A Bérenger.*) Vous, je ne vous salue pas !

LA MÉNAGÈRE (*même jeu*). — Il nous aimait tellement ! (*Elle sanglote.*)

DAISY. — Voyons, monsieur Bérenger, voyons, monsieur Jean...

LE VIEUX MONSIEUR. — J'ai eu des amis asiatiques. Peut-être n'étaient-ils pas de vrais Asiatiques...

LE PATRON. — J'en ai connu des vrais.

LA SERVEUSE (*à l'Epicière*). — J'ai eu un ami asiatique.

LA MÉNAGÈRE (*même jeu*). — Je l'ai eu tout petit !

JEAN (*toujours hors de lui*). — Ils sont jaunes ! jaunes ! très jaunes !

BÉRENGER (*à Jean*). — En tout cas, vous, vous êtes écarlate !

L'EPICIÈRE (*de la fenêtre*) *et* LA SERVEUSE. — Oh !

LE PATRON. — Ça tourne mal !

LA MÉNAGÈRE (*même jeu*). — Il était si propre ! Il faisait dans sa sciure !

JEAN (*à Bérenger*). — Puisque c'est comme ça, vous ne me verrez plus ! Je perds mon temps avec un imbécile de votre espèce.

LA MÉNAGÈRE (*même jeu*). — Il se faisait comprendre !

JEAN (*sort vers la droite, très vite, furieux...*

*Il se retourne toutefois, avant de sortir pour
de bon).*

Le Vieux Monsieur (*à l'Epicier*). — Il y a
aussi des Asiatiques blancs, noirs, bleus, d'autres comme nous.

Jean (*à Bérenger*). — Ivrogne ! (*Tous le regardent consternés.*)

Bérenger (*en direction de Jean*). — Je ne
vous permets pas !

Tous (*en direction de Jean*). — Oh !

La Ménagère (*même jeu*). — Il ne lui manquait que la parole. Même pas.

Daisy (*à Bérenger*). — Vous n'auriez pas dû
le mettre en colère.

Bérenger (*à Daisy*). — Ce n'est pas ma
faute...

Le Patron (*à la Serveuse*). — Allez chercher
un petit cercueil, pour cette pauvre bête...

Le Vieux Monsieur (*à Bérenger*). — Je
pense que vous avez raison. Le rhinocéros
d'Asie a deux cornes, le rhinocéros d'Afrique
en a une...

L'Epicier. — Monsieur soutenait le contraire.

Daisy (*à Bérenger*). — Vous avez eu tort tous
les deux !

Le Vieux Monsieur (*à Bérenger*). — Vous
avez tout de même eu raison.

La Serveuse (*à la Ménagère*). — Venez, Madame, on va le mettre en boîte.

La Ménagère (*sanglotant éperdument*). —
Jamais ! jamais !

L'Epicier. — Je m'excuse; moi, je pense que
c'est monsieur Jean qui avait raison.

Daisy (*se tournant vers la Ménagère*). —
Soyez raisonnable, Madame ! (*Daisy et la Serveuse entraînent la Ménagère, avec son chat
mort, vers l'entrée du café.*)

Le Vieux Monsieur (*à Daisy et à la Serveuse*). — Voulez-vous que je vous accom-
pagne ?

L'Epicier. — Le rhinocéros d'Asie a une
corne, le rhinocéros d'Afrique, deux. Et vice
versa.

Daisy (*au Vieux Monsieur*). — Ce n'est pas
la peine. (*Daisy et la Serveuse entrent dans le
café, entraînant la Ménagère toujours incon-
solée.*)

L'Epicière (*à l'Epicier, de sa fenêtre*). — Oh
toi, toujours des idées pas comme tout le
monde !

Bérenger (*à part, tandis que les autres continuent de discuter au sujet des cornes du rhinocéros*). — Daisy a raison, je n'aurais pas dû
le contredire.

Le Patron (*à l'Epicière*). — Votre mari a
raison, le rhinocéros d'Asie a deux cornes, celui
d'Afrique doit en avoir deux, et vice versa.

Bérenger (*à part*). — Il ne supporte pas la

contradiction. La moindre objection le fait écumer.

Le Vieux Monsieur (*au Patron*). — Vous faites erreur, mon ami.

Le Patron (*au Vieux Monsieur*). — Je vous demande bien pardon !...

Bérenger (*à part*). — La colère est son seul défaut.

L'Epicière (*de sa fenêtre, au Vieux Monsieur, au Patron et à l'Epicier*). — Peut-être sont-ils tous les deux pareils.

Bérenger (*à part*). — Dans le fond, il a un cœur d'or, il m'a rendu d'innombrables services.

Le Patron (*à l'Epicière*). — L'autre ne peut qu'en avoir une, si l'un en a deux.

Le Vieux Monsieur. — Peut-être c'est l'un qui en a une, c'est l'autre qui en a deux.

Bérenger (*à part*). — Je regrette de ne pas avoir été plus conciliant. Mais pourquoi s'entête-t-il ? Je ne voulais pas le pousser à bout. (*Aux autres.*) Il soutient toujours des énormités ! Il veut toujours épater tout le monde par son savoir. Il n'admet jamais qu'il pourrait se tromper.

Le Vieux Monsieur (*à Bérenger*). — Avez-vous des preuves ?

Bérenger. — A quel sujet ?

Le Vieux Monsieur. — Votre affirmation de

tout à l'heure, qui a provoqué votre fâcheuse controverse avec votre ami.

L'Epicier (*à Bérenger*). — Oui, avez-vous des preuves ?

Le Vieux Monsieur (*à Bérenger*). — Comment savez-vous que l'un des deux rhinocéros a deux cornes et l'autre une ? Et lequel ?

L'Epicière. — Il ne le sait pas plus que nous.

Bérenger. — D'abord, on ne sait pas s'il y en a eu deux. Je crois même qu'il n'y a eu qu'un rhinocéros.

Le Patron. — Admettons qu'il y en ait eu deux. Qui est unicorne, le rhinocéros d'Asie ?

Le Vieux Monsieur. — Non. C'est le rhinocéros d'Afrique qui est bicornu. Je le crois.

Le Patron. — Qui est bicornu ?

L'Epicier. — Ce n'est pas celui d'Afrique.

L'Epicière. — Il n'est pas facile de se mettre d'accord.

Le Vieux Monsieur. — Il faut tout de même élucider ce problème.

Le Logicien (*sortant de sa réserve*). — Messieurs, excusez-moi d'intervenir. Là n'est pas la question. Permettez-moi de me présenter...

La Ménagère (*en larmes*). — C'est un Logicien !

Le Patron. — Oh ! il est Logicien !

Le Vieux Monsieur (*présentant le Logicien à Bérenger*). — Mon ami, le Logicien !

BÉRENGER. — Enchanté, Monsieur.

LE LOGICIEN (*continuant*). — ...Logicien professionnel : voici ma carte d'identité. (*Il montre sa carte.*)

BÉRENGER. — Très honoré, Monsieur.

L'EPICIER. — Nous sommes très honorés.

LE PATRON. — Voulez-vous nous dire alors, monsieur le Logicien, si le rhinocéros africain est unicornu...

LE VIEUX MONSIEUR. — Ou bicornu...

L'EPICIÈRE. — Et si le rhinocéros asiatique est bicornu.

L'EPICIER. — Ou bien unicornu.

LE LOGICIEN. — Justement, là n'est pas la question. C'est ce que je me dois de préciser.

L'EPICIER. — C'est pourtant ce qu'on aurait voulu savoir.

LE LOGICIEN. — Laissez-moi parler, Messieurs.

LE VIEUX MONSIEUR. — Laissons-le parler.

L'EPICIÈRE (*à l'Epicier, de la fenêtre*). — Laissez-le donc parler.

LE PATRON. — On vous écoute, Monsieur.

LE LOGICIEN (*à Bérenger*). — C'est à vous, surtout, que je m'adresse. Aux autres personnes présentes aussi.

L'EPICIER. — A nous aussi...

LE LOGICIEN. — Voyez-vous, le débat portait tout d'abord sur un problème dont vous vous êtes malgré vous écarté. Vous vous demandiez, au départ, si le rhinocéros qui vient de passer est bien celui de tout à l'heure, ou si c'en est un autre. C'est à cela qu'il faut répondre.

BÉRENGER. — De quelle façon ?

LE LOGICIEN. — Voici : vous pouvez avoir vu deux fois un même rhinocéros portant une seule corne...

L'EPICIER (*répétant, comme pour mieux comprendre*). — Deux fois le même rhinocéros.

LE PATRON (*même jeu*). — Portant une seule corne...

LE LOGICIEN (*continuant*). — ...Comme vous pouvez avoir vu deux fois un même rhinocéros à deux cornes.

LE VIEUX MONSIEUR (*répétant*). — Un seul rhinocéros à deux cornes, deux fois...

LE LOGICIEN. — C'est cela. Vous pouvez encore avoir vu un premier rhinocéros à une corne, puis un autre, ayant également une seule corne.

L'EPICIÈRE (*de la fenêtre*). — Ha, ha...

LE LOGICIEN. — Et aussi un premier rhinocéros à deux cornes, puis un second rhinocéros à deux cornes.

LE PATRON. — C'est exact.

LE LOGICIEN. — Maintenant : si vous aviez vu...

L'Epicier. — Si nous avions vu...

Le Vieux Monsieur. — Oui, si nous avions vu...

Le Logicien. — Si vous aviez vu la première fois un rhinocéros à deux cornes...

Le Patron. — A deux cornes...

Le Logicien. — ... La seconde fois un rhinocéros à une corne...

L'Epicier. — A une corne.

Le Logicien. — ... Cela ne serait pas concluant non plus.

Le Vieux Monsieur. — Tout cela ne serait pas concluant.

Le Patron. — Pourquoi ?

L'Epicière. — Ah, là là... J'y comprends rien.

L'Epicier. — Ouais ! ouais ! (*L'Epicière, haussant les épaules, disparaît de sa fenêtre.*)

Le Logicien. — En effet, il se peut que depuis tout à l'heure le rhinocéros ait perdu une de ses cornes, et que celui de tout de suite soit celui de tout à l'heure.

Bérenger. — Je comprends, mais...

Le Vieux Monsieur (*interrompant Bérenger*). — N'interrompez pas.

Le Logicien. — Il se peut aussi que deux rhinocéros à deux cornes aient perdu tous les deux une de leurs cornes.

Le Vieux Monsieur. — C'est possible.

Le Patron. — Oui, c'est possible.

L'Epicier. — Pourquoi pas !

Bérenger. — Oui, toutefois...

Le Vieux Monsieur (*à Bérenger*). — N'interrompez pas.

Le Logicien. — Si vous pouviez prouver avoir vu la première fois un rhinocéros à une corne, qu'il fût asiatique ou africain...

Le Vieux Monsieur. — Asiatique, ou africain...

Le Logicien. — ... La seconde fois, un rhinocéros à deux cornes...

Le Vieux Monsieur. — A deux cornes !

Le Logicien. — ... qu'il fût, peu importe, africain ou asiatique...

L'Epicier. — Africain ou asiatique...

Le Logicien (*continuant la démonstration*). — ... A ce moment-là, nous pourrions conclure que nous avons affaire à deux rhinocéros différents, car il est peu probable qu'une deuxième corne puisse pousser en quelques minutes, de façon visible, sur le nez d'un rhinocéros...

Le Vieux Monsieur. — C'est peu probable.

Le Logicien (*enchanté de son raisonnement*). — ... Cela ferait d'un rhinocéros asiatique ou africain...

Le Vieux Monsieur. — Asiatique, ou africain.

Le Logicien. — ... Un rhinocéros africain ou asiatique.

Le Patron. — Africain ou asiatique.

L'Epicier. — Ouais, ouais.

Le Logicien. — ... Or, cela n'est pas possible en bonne logique, une même créature ne pouvant être née en deux lieux à la fois...

Le Vieux Monsieur. — Ni même successivement.

Le Logicien (*au Vieux Monsieur*). — C'est ce qui est à démontrer.

Bérenger (*au Logicien*). — Cela me semble clair, mais cela ne résout pas la question.

Le Logicien (*à Bérenger, en souriant d'un air compétent*). — Evidemment, cher Monsieur, seulement, de cette façon, le problème est posé de façon correcte.

Le Vieux Monsieur. — C'est tout à fait logique.

Le Logicien (*soulevant son chapeau*). — Au revoir, Messieurs. (*Il se retourne et sortira par la gauche, suivi du Vieux Monsieur.*)

Le Vieux Monsieur. — Au revoir, Messieurs. (*Il soulève son chapeau et sort à la suite du Logicien.*)

L'Epicier. — C'est peut-être logique... (*A ce*

moment, du café, la Ménagère, en grand deuil, sort, tenant une boîte, elle est suivie par Daisy et la Serveuse, comme pour un enterrement. Le cortège se dirige vers la sortie à droite.)

L'Epicier *(continuant)*. — ... C'est peut-être logique, cependant pouvons-nous admettre que nos chats soient écrasés sous nos yeux, par des rhinocéros à une corne, ou à deux cornes, qu'ils soient asiatiques, ou qu'ils soient africains ? *(Il montre, d'un geste théâtral, le cortège qui est en train de sortir.)*

Le Patron. — Il a raison, c'est juste ! Nous ne pouvons pas permettre que nos chats soient écrasés par des rhinocéros, ou par n'importe quoi !

L'Epicier. — Nous ne pouvons pas le permettre !

L'Epicière *(sortant sa tête, par la porte de la boutique, à l'Epicier)*. — Alors, rentre ! Les clients vont venir !

L'Epicier *(se dirigeant vers la boutique)*. — Non, nous ne pouvons pas le permettre !

Bérenger. — Je n'aurai pas dû me quereller avec Jean ! *(Au Patron.)* Apportez-moi un verre de cognac ! un grand !

Le Patron. — Je vous l'apporte ! *(Il va chercher le verre de cognac dans le café.)*

Bérenger *(seul)*. — Je n'aurais pas dû, je

n'aurais pas dû me mettre en colère ! (*Le Pa-tron sort, un grand verre de cognac à la main.*) J'ai le cœur trop gros pour aller au musée. Je cultiverai mon esprit une autre fois. (*Il prend le verre de cognac, le boit.*)

Rideau

ACTE II

PREMIER TABLEAU

Le bureau d'une administration, ou d'une entreprise privée, une grande maison de publications juridiques par exemple. Au fond, au milieu, une grande porte à deux battants, au-dessus de laquelle un écriteau indique : « Chef de Service ». A gauche au fond, près de la porte du Chef, la petite table de Daisy, avec une machine à écrire. Contre le mur de gauche, entre une porte donnant sur l'escalier et la petite table de Daisy, une autre table sur laquelle on met des feuilles de présence, que les employés doivent signer en arrivant. Puis, à gauche, toujours au premier plan, la porte donnant sur l'escalier. On voit les dernières marches de cet escalier, le haut de la rampe, un petit palier. Au premier plan, une table avec deux chaises. Sur la table : des épreuves d'imprimerie, un encrier, des porte-plume; c'est la table où travaillent Botard et Bérenger; ce dernier s'assoira sur la chaise de gauche, le premier sur celle de droite. Près du mur de droite, une autre table, plus grande, rectangulaire, également recouverte de papiers, d'épreuves d'imprimerie, etc. Deux chaises encore près de cette table, (plus belles, plus « importantes ») se font vis-à-vis. C'est la table de Dudard et de M. Bœuf. Dudard s'assoira sur la chaise qui est contre le mur, ayant les autres employés en face de lui. Il fait fonction de sous-chef. Entre la porte du fond et le mur de droite, une fenêtre. Dans le cas où le théâtre aurait une fosse d'orchestre, il serait préférable de ne mettre que le simple encadrement d'une fenêtre, au tout premier plan, face au public. Dans le coin de droite, au fond, un porte-manteau, sur lequel sont accrochés des blouses grises ou de vieux vestons. Eventuellement, le porte-manteau pourrait être placé lui aussi sur le devant de la scène, tout près du mur de droite.

Contre les murs, des rangées de livres et de dossiers poussiéreux. Sur le fond, à gauche, au-dessus des rayons, il y a des écriteaux : *Jurisprudence, Codes;* sur le mur de droite, qui peut être légèrement oblique, les écriteaux indiquent : « *Le Journal Officiel* », « *Lois fiscales* ». Au-dessus de la porte du Chef de Service, une horloge indique : 9 heures 3 minutes.

Au lever du rideau, Dudard, debout, près de la chaise de son bureau, profil droit à la salle; de l'autre côté du bureau, profil gauche à la salle, Botard; entre eux, près du bureau également, face au public, le Chef de Service; Daisy, un peu en retrait près du Chef de Service, à sa gauche. Elle a, dans la main, des feuilles de papier dactylographiées. Sur la table, entourée par les trois personnages, par-dessus les épreuves d'imprimerie, un grand journal ouvert est étalé.

Au lever du rideau, pendant quelques secondes, les personnages restent immobiles, dans la position où sera dite la première réplique. Cela doit faire *tableau vivant*. Au début du premier acte, il en aura été de même.

Le Chef de Service, une cinquantaine d'années, vêtu correctement : complet bleu marine, rosette de la Légion d'honneur, faux col amidonné, cravate noire, grosse moustache brune. Il s'appelle : Monsieur Papillon.

Dudard : trente-cinq ans. Complet gris; il a des manches de lustrine noire pour préserver son veston. Il peut porter des lunettes. Il est assez grand, employé (*cadre*) d'avenir. Si le chef devenait sous-directeur, c'est lui qui prendrait sa place; Botard ne l'aime pas.

Botard : instituteur retraité; l'air fier, petite moustache blanche; il a une soixantaine d'années qu'il porte vertement. (*Il sait tout, comprend tout.*) Il a un béret basque sur la tête; il est revêtu d'une longue blouse grise pour le travail, il a des lunettes sur un nez assez fort; un crayon à l'oreille; des manches, également de lustrine.

Daisy : jeune, blonde.

Plus tard, *Madame Bœuf* : grosse femme de quarante à cinquante ans, éplorée, essoufflée.

Les personnages sont donc debout au lever du rideau, immobiles autour de la table de droite; le Chef a la main et l'index tendus vers le journal. Dudard, la main tendue en direction de Botard, a l'air de lui dire : « *Vous voyez bien pourtant !* » Botard, les mains dans les poches de sa blouse, un sourire incrédule sur les lèvres, l'air de dire : « *On ne me la fait pas.* » Daisy, ses feuilles dactylographiées à la main, a l'air d'appuyer du regard, Dudard. Au bout de quelques brèves secondes, Botard attaque.

BOTARD. — Des histoires, des histoires à dormir debout.

DAISY. — Je l'ai vu, j'ai vu le rhinocéros !

DUDARD. — C'est écrit sur le journal, c'est clair, vous ne pouvez le nier.

BOTARD (*de l'air du plus profond mépris*). — Pfff !

DUDARD. — C'est écrit, puisque c'est écrit; tenez, à la rubrique des chats écrasés ! Lisez donc la nouvelle, monsieur le Chef !

MONSIEUR PAPILLON. — « Hier, dimanche, dans notre ville, sur la place de l'Eglise, à l'heure de l'apéritif, un chat a été foulé aux pieds par un pachyderme. »

DAISY. — Ce n'était pas exactement sur la place de l'Eglise !

MONSIEUR PAPILLON. — C'est tout. On ne donne pas d'autres détails.

BOTARD. — Pfff !

DUDARD. — Cela suffit, c'est clair.

BOTARD. — Je ne crois pas les journalistes. Les journalistes sont tous des menteurs, je sais à quoi m'en tenir, je ne crois que ce que je vois, de mes propres yeux. En temps qu'ancien instituteur, j'aime la chose précise, scientifiquement prouvée, je suis un esprit méthodique, exact.

Dudard — Que vient faire ici l'esprit méthodique ?

Daisy (à Botard). — Je trouve, monsieur Botard, que la nouvelle est très précise.

Botard. — Vous appelez cela de la précision ? Voyons. De quel pachyderme s'agit-il ? Qu'est-ce que le rédacteur de la rubrique des chats écrasés entend-il par un pachyderme ? Il ne nous le dit pas. Et qu'entend-il par chat ?

Dudard. — Tout le monde sait ce qu'est un chat.

Botard. — Est-ce d'un chat, ou est-ce d'une chatte qu'il s'agit ? Et de quelle couleur ? De quelle race ? Je ne suis pas raciste, je suis même antiraciste.

Monsieur Papillon. — Voyons, monsieur Botard, il ne s'agit pas de cela, que vient faire ici le racisme ?

Botard. — Monsieur le Chef, je vous demande bien pardon. Vous ne pouvez nier que le racisme est une des grandes erreurs du siècle.

Dudard. — Bien sûr, nous sommes tous d'accord, mais il ne s'agit pas là de...

Botard. — Monsieur Dudard, on ne traite pas cela à la légère. Les événements historiques nous ont bien prouvé que le racisme...

DUDARD. — Je vous dis qu'il ne s'agit pas de cela.

BOTARD. — On ne le dirait pas.

MONSIEUR PAPILLON. — Le racisme n'est pas en question.

BOTARD. — On ne doit perdre aucune occasion de le dénoncer.

DAISY. — Puisqu'on vous dit que personne n'est raciste. Vous déplacez la question, il s'agit tout simplement d'un chat écrasé par un pachyderme : un rhinocéros, en l'occurrence.

BOTARD. — Je ne suis pas du Midi, moi. Les Méridionaux ont trop d'imagination. C'était peut-être tout simplement une puce écrasée par une souris. On en fait une montagne.

MONSIEUR PAPILLON (à Dudard). — Essayons donc de mettre les choses au point. Vous auriez donc vu, de vos yeux vu, le rhinocéros se promener en flânant dans les rues de la ville ?

DAISY. — Il ne flânait pas, il courait.

DUDARD. — Personnellement, moi, je ne l'ai pas vu. Cependant, des gens dignes de foi....

BOTARD (l'interrompant). — Vous voyez bien que ce sont des racontars, vous vous fiez à des journalistes qui ne savent quoi inventer pour faire vendre leurs méprisables journaux, pour servir leurs patrons, dont ils sont les domestiques ! Vous croyez cela, monsieur Dudard, vous, un juriste, un licencié en droit. Permettez-moi de rire ! Ah ! Ah ! Ah !

Daisy. — Mais moi, je l'ai vu, j'ai vu le rhinocéros. J'en mets ma main au feu.

Botard. — Allons donc ! Je vous croyais une
fille sérieuse.

Daisy. — Monsieur Botard, je n'ai pas la
berlue ! Et je n'étais pas seule, il y avait des
gens autour de moi qui regardaient.

Botard. — Pfff ! Ils regardaient sans doute
autre chose !... Des flâneurs, des gens qui n'ont
rien à faire, qui ne travaillent pas, des oisifs.

Dudard. — C'était hier, c'était dimanche.

Botard. — Moi, je travaille aussi le dimanche. Je n'écoute pas les curés qui vous font
venir à l'église pour vous empêcher de faire
votre boulot, et de gagner votre pain à la sueur
de votre front.

Monsieur Papillon (*indigné*). — Oh !

Botard. — Excusez-moi, je ne voudrais pas
vous vexer. Ce n'est pas parce que je méprise
les religions qu'on peut dire que je ne les estime
pas. (*A Daisy :*) D'abord, savez-vous ce que
c'est qu'un rhinocéros ?

Daisy. — C'est un... c'est un très gros animal,
vilain !

Botard. — Et vous vous vantez d'avoir une
pensée précise! Le rhinocéros, Mademoiselle...

Monsieur Papillon. — Vous n'allez pas nous

faire un cours sur le rhinocéros, ici. Nous ne sommes pas à l'école.

BOTARD. — C'est bien dommage. (*Depuis les dernières répliques, on a pu voir Bérenger monter avec précautions les dernières marches de l'escalier; entrouvrir prudemment la porte du bureau qui, en s'écartant, laisse voir la pancarte sur laquelle on peut lire : « Editions de Droit ».*)

MONSIEUR PAPILLON (*à Daisy*). — Bon ! Il est plus de neuf heures, Mademoiselle, enlevez-moi la feuille de présence. Tant pis pour les retardataires ! (*Daisy se dirige vers la petite table, à gauche, où se trouve la feuille de présence, au moment où entre Bérenger.*)

BÉRENGER (*entrant, tandis que les autres continuent de discuter; à Daisy*). — Bonjour, mademoiselle Daisy. Je ne suis pas en retard ?

BOTARD (*à Dudard et à Monsieur Papillon*). — Je lutte contre l'ignorance, où je la trouve !

DAISY (*à Bérenger*). — Monsieur Bérenger, dépêchez-vous.

BOTARD. — ...Dans les palais, dans les chaumières !

DAISY (*à Bérenger*). — Signez vite la feuille de présence !

BÉRENGER. — Oh, merci ! Le Chef est déjà arrivé ?

Daisy (*à Bérenger; un doigt sur les lèvres*).
— Chut ! oui, il est là.

Bérenger. — Déjà ? Si tôt ? (*Il se précipite pour aller signer la feuille de présence.*)

Botard (*continuant*). — N'importe où !
Même dans les maisons d'édition.

Monsieur Papillon (*à Botard*). — Monsieur Botard, je crois que...

Bérenger (*signant la feuille; à Daisy*). —
Pourtant, il n'est pas neuf heures dix...

Monsieur Papillon (*à Botard*). — Je crois
que vous dépassez les limites de la politesse.

Dudard (*à Monsieur Papillon*). — Je le pense
aussi, Monsieur.

Monsieur Papillon (*à Botard*). — Vous n'allez pas dire que mon collaborateur et votre
collègue, monsieur Dudard, qui est licencié en
droit, excellent employé, est un ignorant.

Botard. — Je n'irai pas jusqu'à affirmer une
pareille chose, toutefois les Facultés, l'Univer-
sité, cela ne vaut pas l'école communale.

Monsieur Papillon (*à Daisy*). — Alors, cette
feuille de présence !

Daisy (*à Monsieur Papillon*) — La voici,
Monsieur. (*Elle la lui tend.*)

Monsieur Papillon (*à Bérenger*). — Tiens,
voilà monsieur Bérenger !

Botard (*à Dudard*). — Ce qui manque aux

universitaires, ce sont les idées claires, l'esprit d'observation, le sens pratique.

Dudard (*à Botard*). — Allons donc !

Bérenger (*à Monsieur Papillon*). — Bonjour, monsieur Papillon. (*Bérenger justement se dirigeait derrière le dos du chef, contournant le groupe des trois personnages, vers le porte-manteau; il y prendra sa blouse de travail, ou son veston usé, en y accrochant, à la place, son veston de ville; maintenant, près du porte-manteau, ôtant son veston, mettant l'autre veston, puis allant à sa table de travail, dans le tiroir de laquelle il trouvera ses manches de lustrine noire, etc., il salue.*) Bonjour, monsieur Papillon ! excusez-moi, j'ai failli être en retard. Bonjour, Dudard ! Bonjour, monsieur Botard.

Monsieur Papillon. — Dites donc, Bérenger, vous aussi vous avez vu des rhinocéros ?

Botard (*à Dudard*). — Les universitaires sont des esprits abstraits qui ne connaissent rien à la vie.

Dudard (*à Botard*). — Sottises !

Bérenger (*continuant de ranger ses affaires pour le travail, avec un empressement excessif, comme pour faire excuser son retard; à Monsieur Papillon, d'un ton naturel*). — Mais oui, bien sûr, je l'ai vu !

Botard (*se retournant*) — Pfff !

Daisy. — Ah ! vous voyez, je ne suis pas folle.

Botard (*ironique*). — Oh, monsieur Bérenger dit cela par galanterie, car c'est un galant, bien qu'il n'en ait pas l'air.

Dudard. — C'est de la galanterie de dire qu'on a vu un rhinocéros ?

Botard. — Certainement. Quand c'est pour appuyer les affirmations fantaisistes de mademoiselle Daisy. Tout le monde est galant avec mademoiselle Daisy, c'est compréhensible.

Monsieur Papillon. — Ne soyez pas de mauvaise foi, monsieur Botard, M. Bérenger n'a pas pris part à la controverse. Il vient à peine d'arriver.

Bérenger (*à Daisy*). — N'est-ce pas que vous l'avez vu ? Nous avons vu.

Botard. — Pfff ! Il est possible que M. Bérenger ait cru apercevoir un rhinocéros. (*Il fait derrière le dos de Bérenger le signe que Bérenger boit !*) Il a tellement d'imagination ! Avec lui, tout est possible.

Bérenger. — Je n'étais pas seul, quand j'ai vu le rhinocéros ! ou peut-être les deux rhinocéros.

Botard. — Il ne sait même pas combien il en a vu !

Bérenger. — J'étais à côté de mon ami Jean !... Il y avait d'autres gens.

Botard (*à Bérenger*). — Vous bafouillez, ma parole.

Daisy. — C'était un rhinocéros unicorne.

Botard. — Pfff ! Ils sont de mèche tous les deux pour se payer notre tête !

Dudard (*à Daisy*). — Je crois plutôt qu'il avait deux cornes, d'après ce que j'ai entendu dire !

Botard. — Alors là, il faudrait s'entendre.

Monsieur Papillon (*regardant l'heure*). — Finissons-en, Messieurs, l'heure avance.

Botard. — Vous avez vu, vous, monsieur Bérenger, un rhinocéros, ou deux rhinocéros ?

Bérenger. — Euh ! c'est-à-dire...

Botard. — Vous ne savez pas. Mlle Daisy a vu un rhinocéros unicorne. Votre rhinocéros à vous, monsieur Bérenger, si rhinocéros il y a, était-il unicorne, ou bicornu ?

Bérenger. — Voyez-vous, tout le problème est là justement.

Botard. — C'est bien vaseux tout cela.

Daisy. — Oh !

Botard. — Je ne voudrais pas vous vexer. Mais je n'y crois pas à votre histoire ! Des rhinocéros, dans le pays, cela ne s'est jamais vu !

Dudard. — Il suffit d'une fois !

Botard. — Cela ne s'est jamais vu ! Sauf sur les images, dans les manuels scolaires. Vos rhinocéros n'ont fleuri que dans les cervelles des bonnes femmes.

BÉRENGER. — L'expression : « fleurir », appliquée à des rhinocéros me semble assez impropre.

DUDARD. — C'est juste.

BOTARD (*continuant*). — Votre rhinocéros est un mythe !

DAISY. — Un mythe ?

MONSIEUR PAPILLON. — Messieurs, je crois qu'il est l'heure de se mettre au travail.

BOTARD (*à Daisy*). — Un mythe, tout comme les soucoupes volantes !

DUDARD. — Il y a tout de même eu un chat écrasé, c'est indéniable !

BÉRENGER. — J'en témoigne.

DUDARD (*montrant Bérenger*). — Et des témoins !

BOTARD. — Un témoin pareil !

MONSIEUR PAPILLON. — Messieurs, messieurs !

BOTARD (*à Dudard*). — Psychose collective, monsieur Dudard, psychose collective ! C'est comme la religion qui est l'opium des peuples !

DAISY. — Eh bien, j'y crois, moi, aux soucoupes volantes !

BOTARD. — Pff !

MONSIEUR PAPILLON (*avec fermeté*). — Ça va comme ça, on exagère. Assez de bavardages !

Rhinocéros ou non, soucoupes volantes ou non,
il faut que le travail soit fait ! La maison ne
vous paye pas pour perdre votre temps à vous
entretenir d'animaux réels ou fabuleux !

Botard. — Fabuleux !

Dudard. — Réels !

Daisy. — Très réels.

Monsieur Papillon. — Messieurs, j'attire
encore une fois votre attention : vous êtes
dans vos heures de travail. Permettez-moi de
couper court à cette polémique stérile...

Botard (*blessé, ironique*). — D'accord, monsieur Papillon. Vous êtes le chef. Puisque vous
l'ordonnez, nous devons obéir.

Monsieur Papillon. — Messieurs, dépêchez-
vous. Je ne veux pas être dans la triste obli-
gation de vous retenir une amende sur vos
traitements ! Monsieur Dudard, où en est votre
commentaire de la loi sur la répression anti-
alcoolique ?

Dudard. — Je mets cela au point, monsieur le
Chef.

Monsieur Papillon. — Tâchez de terminer.
C'est pressé. Vous, monsieur Bérenger et monsieur Botard, avez-vous fini de corriger les
épreuves de la réglementation des vins dits :
« d'appellation contrôlée » ?

Bérenger. — Pas encore, monsieur Papillon.
Mais c'est bien entamé.

Monsieur Papillon. — Finissez de les corriger ensemble. L'imprimerie attend. Vous, Mademoiselle, vous viendrez me faire signer le courrier dans mon bureau. Dépêchez-vous de le taper.

Daisy. — C'est entendu, monsieur Papillon. (*Daisy va à son petit bureau et tape à la machine. Dudard s'assoit à son bureau et commence à travailler. Bérenger et Botard à leurs petites tables, tous deux de profil à la salle; Botard, de dos à la porte de l'escalier. Botard a l'air de mauvaise humeur; Bérenger est passif et vaseux; Bérenger installe les épreuves sur la table, passe le manuscrit à Botard; Botard s'assoit en bougonnant, tandis que Monsieur Papillon sort en claquant la porte.*)

Monsieur Papillon. — A tout à l'heure, Messieurs ! (*Il sort.*)

Bérenger (*lisant et corrigeant, tandis que Botard suit sur le manuscrit, avec un crayon*). — Réglementation des crus d'origine dit « d'appellation »... (*Il corrige.*) Avec deux L, appellation. (*Il corrige.*) Contrôlée... une L, contrôlée... Les vins d'appellation contrôlée de la région bordelaise, région inférieure des côteaux supérieurs...

Botard (*à Dudard*). — Je n'ai pas ça ! Une ligne de sautée.

BÉRENGER. — Je reprends : les vins d'appellation contrôlée...

DUDARD (*à Bérenger et à Botard*). — Lisez moins fort, je vous prie. On n'entend que vous, vous m'empêchez de fixer mon attention sur mon travail.

BOTARD (*à Dudard, par-dessus la tête de Bérenger, reprenant la discussion de tout à l'heure; tandis que Bérenger, pendant quelques instants, corrige tout seul; il fait bouger ses lèvres sans bruit, tout en lisant*). — C'est une mystification !

DUDARD. — Qu'est-ce qui est une mystification ?

BOTARD. — Votre histoire de rhinocéros, pardi ! C'est votre propagande qui fait courir ces bruits !

DUDARD (*s'interrompant dans son travail*). — Quelle propagande ?

BÉRENGER (*intervenant*). — Ce n'est pas de la propagande...

DAISY (*s'interrompant de taper*). — Puisque je vous répète que j'ai vu... j'ai vu... on a vu.

DUDARD (*à Botard*). — Vous me faites rire !... De la propagande ! Dans quel but ?

BOTARD (*à Dudard*). — Allons donc !... Vous le savez mieux que moi. Ne faites pas l'innocent.

DUDARD (*se fâchant*). — En tout cas, monsieur Botard, moi je ne suis pas payé par les Ponténégrins.

Botard (*rouge de colère, tapant du poing sur la table*). — C'est une insulte. Je ne permettrai pas... (*M. Botard se lève.*)

Bérenger (*suppliant*). — Monsieur Botard, voyons...

Daisy. — Monsieur Dudard, voyons...

Botard. — Je dis que c'est une insulte... (*La porte du cabinet du Chef s'ouvre soudain : Botard et Dudard se rassoient très vite; le Chef de Service a en main la feuille de présence; à son apparition, le silence s'était fait subitement.*)

Monsieur Papillon. — M. Bœuf n'est pas venu aujourd'hui ?

Bérenger (*regardant autour de lui*). — En effet, il est absent.

Monsieur Papillon. — Justement, j'avais besoin de lui ! (*A Daisy.*) A-t-il annoncé qu'il était malade, ou qu'il était empêché ?

Daisy. — Il ne m'a rien dit.

Monsieur Papillon (*ouvrant tout à fait sa porte, et entrant*). — Si ça continue, je vais le mettre à la porte. Ce n'est pas la première fois qu'il me fait le coup. Jusqu'à présent, j'ai fermé les yeux, mais ça n'ira plus... Quelqu'un d'entre vous a-t-il la clé de son secrétaire ? (*Juste à ce moment, Mme Bœuf fait son entrée. On avait pu la voir, pendant cette dernière répli-*

que, monter le plus vite qu'elle pouvait les dernières marches de l'escalier, elle a ouvert brusquement la porte. Elle est tout essoufflée, effrayée.)

BÉRENGER. — Tiens, voici madame Bœuf.

DAISY. — Bonjour, madame Bœuf.

MADAME BŒUF. — Bonjour, monsieur Papillon ! Bonjour, Messieurs Dames.

MONSIEUR PAPILLON. — Alors, et votre mari ? Qu'est-ce qu'il lui est arrivé, il ne veut plus se déranger ?

MADAME BŒUF (haletante). — Je vous prie de l'excuser, excusez mon mari... il est parti dans sa famille pour le week-end. Il a une légère grippe.

MONSIEUR PAPILLON. — Ah ! il a une légère grippe !

MADAME BŒUF (tendant un papier au Chef). — Tenez, il le dit dans son télégramme. Il espère être de retour mercredi... (Presque défaillante.) Donnez-moi un verre d'eau... et une chaise... (Bérenger vient lui apporter, au milieu du plateau, sa propre chaise sur laquelle elle s'écroule.)

MONSIEUR PAPILLON (à Daisy). — Donnez-lui un verre d'eau.

DAISY. — Tout de suite ! (Elle va lui apporter un verre d'eau, la faire boire, pendant les quelques répliques qui suivent.)

DUDARD (*au Chef*). — Elle doit être cardiaque.

MONSIEUR PAPILLON. — C'est bien ennuyeux que M. Bœuf soit absent. Mais ce n'est pas une raison pour vous affoler !

MADAME BŒUF (*avec peine*). — C'est que... c'est que... j'ai été poursuivie par un rhinocéros depuis la maison jusqu'ici...

BÉRENGER. — Unicorne, ou à deux cornes ?

BOTARD (*s'esclaffant*). — Vous me faites rigoler !

DUDARD (*s'indignant*). — Laissez-la donc parler !

MADAME BŒUF (*faisant un grand effort pour préciser, et montrant du doigt en direction de l'escalier*). — Il est là, en bas, à l'entrée. Il a l'air de vouloir monter l'escalier. (*Au même instant, un bruit se fait entendre. On voit les marches de l'escalier qui s'effondrent sous un poids, sans doute formidable. On entend, venant d'en bas, des barrissements angoissés. La poussière, provoquée par l'effondrement de l'escalier, en se dissipant laissera voir le palier de l'escalier suspendu dans le vide.*)

DAISY. — Mon Dieu !...

MADAME BŒUF (*sur sa chaise, la main sur le cœur*). — Oh ! Ah ! (*Bérenger s'empresse autour de Mme Bœuf, tapote ses joues, lui donne à boire.*)

Bérenger. — Calmez-vous ! (*Pendant ce temps, M. Papillon, Dudard et Botard se précipitent à gauche, ouvrent la porte en se bousculant et se retrouvent sur le palier de l'escalier entourés de poussière; les barrissements continuent de se faire entendre.*)

Daisy (*à Mme Bœuf*). — Vous allez mieux, madame Bœuf ?

Monsieur Papillon (*sur le palier*). — Le voilà. En bas ! C'en est un !

Botard. — Je ne vois rien du tout. C'est une illusion.

Dudard. — Mais si, là, en bas, il tourne en rond.

Monsieur Papillon. — Messieurs, il n'y a pas de doute. Il tourne en rond.

Dudard. — Il ne pourra pas monter. Il n'y a plus d'escalier.

Botard. — C'est bien bizarre. Qu'est-ce que cela veut dire ?

Dudard (*se tournant du côté de Bérenger*). — Venez donc voir. Venez donc le voir, votre rhinocéros.

Bérenger. — J'arrive. (*Bérenger se précipite en direction du palier, suivi de Daisy abandonnant Mme Bœuf.*)

Monsieur Papillon (*à Bérenger*). — Alors vous, le spécialiste des rhinocéros, regardez donc.

Bérenger. — Je ne suis pas le spécialiste des rhinocéros...

Daisy. — Oh... regardez... comme il tourne en rond. On dirait qu'il souffre... qu'est-ce qu'il veut ?

Dudard. — On dirait qu'il cherche quelqu'un. (*A Botard.*) Vous le voyez, maintenant ?

Botard (*vexé*). — En effet, je le vois.

Daisy (*à M. Papillon*). — Peut-être avons-nous tous la berlue ? Et vous aussi...

Botard. — Je n'ai jamais la berlue. Mais il y a quelque chose là-dessous.

Dudard (*à Botard*). — Quoi, quelque chose ?

Monsieur Papillon (*à Bérenger*). — C'est bien un rhinocéros, n'est-ce pas ? C'est bien celui que vous avez déjà vu ? (*A Daisy.*) Et vous aussi ?

Daisy. — Certainement.

Bérenger. — Il a deux cornes. C'est un rhinocéros africain, ou plutôt asiatique. Ah ! je ne sais plus si le rhinocéros africain a deux cornes ou une corne.

Monsieur Papillon. — Il nous a démoli l'escalier, tant mieux, une chose pareille devait arriver ! Depuis le temps que je demande à la direction générale de nous construire des marches de ciment pour remplacer ce vieil escalier vermoulu...

DUDARD. — Il y a une semaine encore, j'ai envoyé un rapport, monsieur le Chef.

MONSIEUR PAPILLON. — Cela devait arriver, cela devait arriver. C'était à prévoir. J'ai eu raison.

DAISY (*à M. Papillon, ironique*). — Comme d'habitude.

BÉRENGER (*à Dudard et à M. Papillon*). — Voyons, voyons, la bicornuité caractérise-t-elle le rhinocéros d'Asie ou celui d'Afrique ? L'uni-cornuité caractérise-t-elle celui d'Afrique ou d'Asie...

DAISY. — Pauvre bête, il n'en finit pas de barrir, et de tourner en rond. Qu'est-ce qu'il veut ? Oh, il nous regarde. (*En direction du rhinocéros.*) Minou, minou, minou...

DUDARD. — Vous n'allez pas le caresser, il n'est sans doute pas apprivoisé...

MONSIEUR PAPILLON. — De toute façon, il est hors d'atteinte. (*Le rhinocéros barrit abo-minablement.*)

DAISY. — Pauvre bête !

BÉRENGER (*poursuivant; à Botard*). — Vous qui savez un tas de choses, ne pensez-vous pas au contraire que c'est la bicornuité qui...

MONSIEUR PAPILLON. — Vous cafouillez, mon cher Bérenger, vous êtes encore vaseux. M. Bo-tard a raison.

BOTARD. — Comment est-ce possible, dans un pays civilisé...

DAISY (*à Botard*). — D'accord. Cependant, existe-t-il ou non ?

BOTARD. — C'est une machination infâme ! (*D'un geste d'orateur de tribune, pointant son doigt vers Dudard, et le foudroyant du regard.*) C'est votre faute.

DUDARD. — Pourquoi la mienne, et pas la vôtre ?

BOTARD (*furieux*). — Ma faute ? C'est toujours sur les petits que ça retombe. S'il ne tenait qu'à moi...

MONSIEUR PAPILLON. — Nous sommes dans de beaux draps, sans escalier.

DAISY (*à Botard et à Dudard*). — Calmez-vous, ça n'est pas le moment, Messieurs !

MONSIEUR PAPILLON. — C'est la faute de la direction générale.

DAISY. — Peut-être. Mais comment allons-nous descendre ?

MONSIEUR PAPILLON (*plaisantant amoureusement et caressant la joue de la dactylo*). — Je vous prendrai dans mes bras, et nous sauterons ensemble !

DAISY (*repoussant la main du Chef de Service*). — Ne mettez pas sur ma figure votre main rugueuse, espèce de pachyderme !

MONSIEUR PAPILLON. — Je plaisantais ! (*En-*

tre temps, tandis que le rhinocéros n'avait cessé
de barrir, Mme Bœuf s'était levée et avait re-
joint le groupe. Elle fixe, quelques instants,
attentivement, le rhinocéros tournant en rond,
en bas; elle pousse brusquement un cri terrible.)

Madame Bœuf. — Mon Dieu ! Est-ce possible !

Bérenger (*à Mme Bœuf*). — Qu'avez- vous ?

Madame Bœuf. — C'est mon mari ! Bœuf,
mon pauvre Bœuf, que t'est-il arrivé ?

Daisy (*à Mme Bœuf*). — Vous en êtes sûre ?

Madame Bœuf. — Je le reconnais, je le reconnais. (*Le rhinocéros répond par un barrissement violent, mais tendre.*)

Monsieur Papillon. — Par exemple ! Cette
fois, je le mets à la porte pour de bon !

Dudard. — Est-il assuré ?

Botard (*à part*). — Je comprends tout...

Daisy. — Comment payer les assurances,
dans un cas semblable ?

Madame Bœuf (*s'évanouissant dans les bras
de Bérenger*). — Ah ! mon Dieu !

Bérenger. — Oh !

Daisy. — Transportons-la. (*Bérenger aidé par
Dudard et Daisy traîne Mme Bœuf jusqu'à
sa chaise et l'installe.*)

Dudard (*pendant qu'on la transporte*). — Ne
vous en faites pas, madame Bœuf.

MADAME BŒUF. — Ah ! Oh !

DAISY. — Ça s'arrangera peut-être...

MONSIEUR PAPILLON (*à Dudard*). — Juridiquement, que peut-on faire ?

DUDARD. — Il faut demander au contentieux.

BOTARD (*suivant le cortège et levant les bras au ciel*). — C'est de la folie pure ! Quelle société ! (*On s'empresse autour de Mme Bœuf, on tapote ses joues, elle ouvre les yeux, pousse un « Ah ! », referme les yeux, on retapote ses joues, pendant que Botard parle.*) En tout cas, soyez certain que je dirai tout à mon comité d'action. Je n'abandonnerai pas un collègue dans le besoin. Cela se saura.

MADAME BŒUF (*revenant à elle*). — Mon pauvre chéri, je ne peux pas le laisser comme cela, mon pauvre chéri. (*On entend barrir.*) Il m'appelle. (*Tendrement :*) Il m'appelle.

DAISY. — Ça va mieux, madame Bœuf ?

DUDARD. — Elle reprend ses esprits.

BOTARD (*à Mme Bœuf*). — Soyez assurée de l'appui de notre délégation. Voulez-vous devenir membre de notre comité ?

MONSIEUR PAPILLON. — Il va encore y avoir du retard dans le travail. Mademoiselle Daisy, le courrier !...

DAISY. — Il faut savoir d'abord comment nous allons pouvoir sortir d'ici.

MONSIEUR PAPILLON. — C'est un problème.

Par la fenêtre. (*Ils se dirigent tous vers la fenêtre, sauf Mme Bœuf, affalée sur sa chaise, et Botard qui restent au milieu du plateau.*)

BOTARD. — Je sais d'où cela vient.

DAISY (*à la fenêtre*). — C'est trop haut.

BÉRENGER. — Il faudrait peut-être appeler les pompiers, qu'ils viennent avec leurs échelles !

MONSIEUR PAPILLON. — Mademoiselle Daisy, allez dans mon bureau et téléphonez aux pompiers. (*M. Papillon fait mine de la suivre.*)

DAISY (*sort par le fond, on l'entendra décrocher l'appareil, dire : « Allô, allô les pompiers ? » et un vague bruit de conversation téléphonique.*)

MADAME BŒUF (*se lève brusquement*). — Je ne peux pas le laisser comme cela, je ne peux pas le laisser comme cela !

MONSIEUR PAPILLON. — Si vous voulez divorcer... vous avez maintenant une bonne raison.

DUDARD. — Ce sera certainement à ses torts.

MADAME BŒUF. — Non ! le pauvre ! ce n'est pas le moment, je ne peux pas abandonner mon mari dans cet état.

BOTARD. — Vous êtes une brave femme.

DUDARD (*à Mme Bœuf*). — Mais qu'allez-vous faire ? (*En courant vers la gauche, Mme Bœuf se précipite vers le palier.*)

BÉRENGER. — Attention !

100

MADAME BŒUF. — Je ne peux pas l'abandonner, je ne peux pas l'abandonner.

DUDARD. — Retenez-la.

MADAME BŒUF. — Je l'emmène à la maison !

MONSIEUR PAPILLON. — Qu'est-ce qu'elle veut faire ?

MADAME BŒUF (*se préparant à sauter; au bord du palier*). — Je viens, mon chéri, je viens.

BÉRENGER. — Elle va sauter.

BOTARD. — C'est son devoir.

DUDARD. — Elle ne pourra pas. (*Tous, sauf Daisy, qui téléphone toujours, se trouvent près d'elle sur le palier; Mme Bœuf saute; Bérenger, qui tout de même essaye de la retenir, est resté avec sa jupe dans les mains.*)

BÉRENGER. — Je n'ai pas pu la retenir. (*On entend, venant d'en bas, le rhinocéros barrir tendrement.*)

MADAME BŒUF. — Me voilà, mon chéri, me voilà.

DUDARD. — Elle atterrit sur son dos, à califourchon.

BOTARD. — C'est une amazone.

VOIX DE MADAME BŒUF. — A la maison, mon chéri, rentrons.

DUDARD. — Ils partent au galop. (*Dudard, Bérenger, Botard, M. Papillon reviennent sur le plateau, se mettent à la fenêtre.*)

BÉRENGER. — Ils vont vite.

Dudard (*à M. Papillon*). — Vous avez déjà fait de l'équitation ?

Monsieur Papillon. — Autrefois... un peu... (*Se tournant du côté de la porte du fond, à Dudard.*) Elle n'a pas fini de téléphoner !...

Bérenger (*suivant du regard le rhinocéros*). — Ils sont déjà loin. On ne les voit plus.

Daisy (*sortant*). — J'ai eu du mal à avoir les pompiers !...

Botard (*comme conclusion à un monologue intérieur*). — C'est du propre !

Daisy. — ... J'ai eu du mal à avoir les pompiers.

Monsieur Papillon. — Il y a le feu partout ?

Bérenger. — Je suis de l'avis de M. Botard. L'attitude de Mme Bœuf est vraiment touchante, elle a du cœur.

Monsieur Papillon. — J'ai un employé en moins, que je dois remplacer.

Bérenger. — Vous croyez vraiment qu'il ne peut plus nous être utile ?

Daisy. — Non, il n'y a pas de feu, les pompiers ont été appelés pour d'autres rhinocéros.

Bérenger. — Pour d'autres rhinocéros ?

Dudard. — Comment, pour d'autres rhinocéros ?

Daisy. — Oui, pour d'autres rhinocéros. On en signale un peu partout dans la ville. Ce matin il y en avait sept, maintenant il y en a dix-sept.

Botard. — Qu'est-ce que je vous disais !

Daisy (*continuant*). — Il y en aurait même trente-deux de signalés. Ce n'est pas encore officiel, mais ce sera certainement confirmé.

Botard (*moins convaincu*). — Pfff ! On exagère.

Monsieur Papillon. — Est-ce qu'ils vont venir nous sortir de là ?

Bérenger. — Moi, j'ai faim !...

Daisy. — Oui, ils vont venir, les pompiers sont en route !

Monsieur Papillon. — Et le travail !

Dudard. — Je crois que c'est un cas de force majeure.

Monsieur Papillon. — Il faudra rattraper les heures de travail perdues.

Dudard. — Alors, monsieur Botard, est-ce que vous niez toujours l'évidence rhinocérique ?

Botard. — Notre délégation s'oppose à ce que vous renvoyiez M. Bœuf, sans préavis.

Monsieur Papillon. — Ce n'est pas à moi de décider, nous verrons bien les conclusions de l'enquête.

Botard (*à Dudard*). — Non, monsieur Dudard, je ne nie pas l'évidence rhinocérique. Je ne l'ai jamais niée.

D_UDARD_. — Vous êtes de mauvaise foi.

D_AISY_. — Ah oui ! vous êtes de mauvaise foi.

B_OTARD_. — Je répète que je ne l'ai jamais niée. Je tenais simplement à savoir jusqu'où cela pouvait aller. Mais moi, je sais à quoi m'en tenir. Je ne constate pas simplement le phéno- mène. Je le comprends, et je l'explique. Du moins, je pourrais l'expliquer si...

D_UDARD_. — Mais expliquez-nous-le.

D_AISY_. — Expliquez-le, monsieur Botard.

M_ONSIEUR_ P_APILLON_. — Expliquez-le puisque vos collègues vous le demandent.

B_OTARD_. — Je vous l'expliquerai...

D_UDARD_. — On vous écoute.

D_AISY_. — Je suis bien curieuse.

B_OTARD_. — Je vous l'expliquerai... un jour...

D_UDARD_. — Pourquoi pas tout de suite ?

B_OTARD_ (*à M. Papillon, menaçant*). — Nous nous expliquerons bientôt, entre nous. (*A tous.*) Je connais le pourquoi des choses, les dessous de l'histoire...

D_AISY_. — Quels dessous ?

B_ÉRENGER_. — Quels dessous ?

D_UDARD_. — Je voudrais bien les connaître, les dessous...

B_OTARD_ (*continuant, terrible*). — Et je con- nais aussi les noms de tous les responsables. Les noms des traîtres. Je ne suis pas dupe. Je vous ferai connaître le but et la signification

de cette provocation ! Je démasquerai les insti-
gateurs.

Bérenger. — Qui aurait intérêt à ?...

Dudard (*à Botard*). — Vous divaguez, monsieur Botard.

Monsieur Papillon. — Ne divaguons point.

Botard. — Moi, je divague, je divague ?

Daisy. — Tout à l'heure, vous nous accusiez
d'avoir des hallucinations.

Botard. — Tout à l'heure, oui. Maintenant,
l'hallucination est devenue provocation.

Dudard. — Comment s'est effectué ce passage, selon vous ?

Botard. — C'est le secret de polichinelle,
Messieurs ! Seuls les enfants n'y comprennent
rien. Seuls les hypocrites font semblant de ne
pas comprendre. (*On entend le bruit et le signal
de la voiture des pompiers qui arrive. On entend les freins de la voiture, qui stoppe brusquement sous la fenêtre.*)

Daisy. — Voilà les pompiers !

Botard. — Il faudra que cela change, ça ne
se passera pas comme cela.

Dudard. — Il n'y a aucune signification à
cela, monsieur Botard. Les rhinocéros existent,
c'est tout. Ça ne veut rien dire d'autre.

Daisy (*à la fenêtre, regardant en bas*). — Par
ici, Messieurs les Pompiers. (*On entend, en bas,*

un remue-ménage, un branle-bas, les bruits de la voiture.)

VOIX D'UN POMPIER. — Installez l'échelle.

BOTARD (*à Dudard*). — J'ai la clé des événements, un système d'interprétation infaillible.

MONSIEUR PAPILLON. — Il faudrait tout de même revenir au bureau cet après-midi. (*On voit l'échelle des pompiers se poser contre la fenêtre.*)

BOTARD. — Tant pis pour les affaires, monsieur Papillon.

MONSIEUR PAPILLON. — Que va dire la direction générale ?

DUDARD. — C'est un cas exceptionnel.

BOTARD (*montrant la fenêtre*). — On ne peut pas nous obliger à reprendre le même chemin. Il faut attendre qu'on répare l'escalier.

DUDARD. — Si quelqu'un se casse une jambe, cela pourrait créer des ennuis à la direction.

MONSIEUR PAPILLON. — C'est juste. (*On voit apparaître le casque d'un Pompier, puis le Pompier.*)

BÉRENGER (*à Daisy, montrant la fenêtre*). — Après vous, Mademoiselle Daisy.

LE POMPIER. — Allons, Mademoiselle. (*Le Pompier prend Mlle Daisy dans ses bras, par la fenêtre, que celle-ci escalade, et disparaîtra avec.*)

DUDARD. — Au revoir, Mademoiselle Daisy. A bientôt.

DAISY (*disparaissant*). — A bientôt, Messieurs !

MONSIEUR PAPILLON (*à la fenêtre*). — Téléphonez-moi demain matin, Mademoiselle. Vous viendrez taper le courrier chez moi. (*A Bérenger.*) Monsieur Bérenger, je vous attire l'attention que nous ne sommes pas en vacances, et qu'on reprendra le travail dès que possible. (*Aux deux autres.*) Vous m'avez entendu, Messieurs ?

DUDARD. — D'accord, Monsieur Papillon.

BOTARD. — Evidemment, on nous exploite jusqu'au sang !

LE POMPIER (*réapparaissant à la fenêtre*). — A qui le tour ?

MONSIEUR PAPILLON (*s'adressant aux trois*). — Allez-y.

DUDARD. — Après vous, Monsieur Papillon.

BÉRENGER. — Après vous, Monsieur le Chef.

BOTARD. — Après vous, bien sûr.

MONSIEUR PAPILLON (*à Bérenger*). — Apportez-moi le courrier de Mlle Daisy. Là, sur la table. (*Bérenger va chercher le courrier, et l'apporte à M. Papillon.*)

LE POMPIER. — Allons, dépêchez-vous. On n'a pas le temps. Il y en a d'autres qui nous appellent.

BOTARD. — Qu'est-ce que je vous disais ? (*M. Papillon, le courrier sous le bras, escalade la fenêtre.*)

MONSIEUR PAPILLON (*aux pompiers*). — Attention aux dossiers. (*Se retournant vers Dudard, Botard et Bérenger.*) Messieurs, au revoir.

DUDARD. — Au revoir, Monsieur Papillon.

BÉRENGER. — Au revoir, Monsieur Papillon.

MONSIEUR PAPILLON (*a disparu; on l'entend dire :*) Attention, les papiers !

VOIX DE MONSIEUR PAPILLON. — Dudard ! Fermez les bureaux à clé !

DUDARD (*criant*). — Ne vous inquiétez pas, Monsieur Papillon. (*A Botard.*) Après vous, Monsieur Botard.

BOTARD. — Messieurs, je descends. Et de ce pas, je vais prendre contact avec les autorités compétentes. J'éluciderai ce faux mystère. (*Il se dirige vers la fenêtre, pour l'escalader.*)

DUDARD (*à Botard*). — Je croyais que c'était déjà clair pour vous !

BOTARD (*escaladant la fenêtre*). — Votre ironie ne me touche guère. Ce que je veux, c'est vous montrer les preuves, les documents, oui, les preuves de votre félonie.

DUDARD. — C'est absurde...

BOTARD. — Votre insulte...

DUDARD (*l'interrompant*). — C'est vous qui m'insultez...

Botard (*disparaissant*). — Je n'insulte pas. Je prouve.

Voix du Pompier. — Allez, allez...

Dudard (*à Bérenger*). — Que faites-vous cet après-midi ? On pourrait boire un coup.

Bérenger. — Je m'excuse. Je vais profiter de cet après-midi libre pour aller voir mon ami Jean. Je veux me réconcilier avec lui, tout de même. On s'était fâchés. J'ai eu des torts. (*La tête du Pompier réapparaît à la fenêtre.*)

Le Pompier. — Allons, allons...

Bérenger (*montrant la fenêtre*). — Après vous.

Dudard (*à Bérenger*). — Après vous.

Bérenger (*à Dudard*). — Oh non, après vous.

Dudard (*à Bérenger*). — Pas du tout, après vous.

Bérenger (*à Dudard*). — Je vous en prie, après vous, après vous.

Le Pompier. — Dépêchons, dépêchons.

Dudard (*à Bérenger*). — Après vous, après vous.

Bérenger (*à Dudard*). — Après vous, après vous. (*Ils escaladent la fenêtre en même temps. Le Pompier les aide à descendre, tandis que le rideau tombe.*)

Fin du tableau

DEUXIÈME TABLEAU

DÉCOR

Chez Jean. La structure du dispositif est à peu près la même qu'au premier tableau de ce deuxième acte. C'est-à-dire que le plateau est partagé en deux. A droite, occupant les trois quarts ou les quatre cinquièmes du plateau, selon la largeur de celui-ci, on voit la chambre de Jean. Au fond, contre le mur, le lit de Jean, dans lequel celui-ci est couché. Au milieu du plateau, une chaise ou un fauteuil, dans lequel Bérenger viendra s'installer. A droite, au milieu, une porte donnant sur le cabinet de toilette de Jean. Lorsque Jean ira faire sa toilette, on entendra le bruit de l'eau du robinet, celui de la douche. A gauche de la chambre, une cloison sépare le plateau en deux. Au milieu, la porte donnant sur l'escalier. Si on veut faire un décor moins réaliste, un décor stylisé, on peut mettre simplement la porte sans cloison. A gauche du plateau, on voit l'escalier, les dernières marches menant à l'appartement de Jean, la rampe, le haut du palier. Dans le fond, à la hauteur de ce palier, une porte de l'appartement des voisins. Plus bas, dans le fond, le haut d'une porte vitrée, au-dessus de laquelle on voit écrit « Concierge ».

Au lever du rideau, Jean, dans son lit, est couché sous sa couverture, dos au public. On l'entend tousser. Au bout de quelques instants, on voit Bérenger paraître, montant les dernières marches de l'escalier. Il frappe à la porte, Jean ne répond pas. Bérenger frappe de nouveau.

BÉRENGER. — Jean ! (*Il frappe de nouveau.*) Jean ! (*La porte du fond du palier s'entrouvre, apparaît un petit vieux à barbiche blanche.*)

LE PETIT VIEUX. — Qu'est-ce qu'il y a ?

BÉRENGER. — Je viens voir Jean, Monsieur Jean, mon ami.

LE PETIT VIEUX. — Je croyais que c'était pour moi. Moi aussi, je m'appelle Jean, alors c'est l'autre.

VOIX DE LA FEMME DU VIEUX (*du fond de la pièce*). — C'est pour nous ?

LE PETIT VIEUX (*se retournant vers sa femme que l'on ne voit pas*). — C'est pour l'autre.

BÉRENGER (*frappant*). — Jean.

LE PETIT VIEUX. — Je ne l'ai pas vu sortir. Je l'ai vu hier soir. Il n'avait pas l'air de bonne humeur.

BÉRENGER. — Je sais pourquoi, c'est ma faute.

LE PETIT VIEUX. — Peut-être ne veut-il pas ouvrir. Essayez encore.

Voix de la Femme du Vieux. — Jean ! ne bavarde pas, Jean.

Bérenger (*frappant*). — Jean !

Le Petit Vieux (*à sa femme*). — Une seconde. Ah là là... (*Il referme la porte et disparaît.*)

Jean (*toujours couché, dos au public, d'une voix rauque*). — Qu'est-ce qu'il y a ?

Bérenger. — Je suis venu vous voir, mon cher Jean.

Jean. — Qui est là ?

Bérenger. — Moi. Bérenger. Je ne vous dérange pas ?

Jean. — Ah, c'est vous ? Entrez.

Bérenger (*essayant d'ouvrir*). — La porte est fermée.

Jean. — Une seconde. Ah là là... (*Jean se lève, d'assez mauvaise humeur en effet. Il a un pyjama vert, les cheveux ébouriffés.*) Une seconde. (*Il tourne la clé dans la serrure.*) Une seconde. (*Il va se coucher de nouveau, se met sous la couverture, comme avant.*) Entrez.

Bérenger (*entrant*). — Bonjour, Jean.

Jean (*dans son lit*). — Quelle heure est-il ? Vous n'êtes pas au bureau ?

Bérenger. — Vous êtes encore couché, vous n'êtes pas au bureau ? Excusez-moi, je vous dérange peut-être.

112

Jean (*toujours de dos*). — C'est curieux, je ne reconnaissais pas votre voix.

Bérenger. — Moi non plus, je ne reconnaissais pas votre voix.

Jean (*toujours de dos*). — Asseyez-vous.

Bérenger. — Vous êtes malade ? (*Jean répond par un grognement.*) Vous savez, Jean, j'ai été stupide de me fâcher avec vous, pour une histoire pareille.

Jean. — Quelle histoire ?

Bérenger. — Hier...

Jean. — Quand hier ? Où hier ?

Bérenger. — Vous avez oublié ? C'était à propos de ce rhinocéros, de ce malheureux rhinocéros.

Jean. — Quel rhinocéros ?

Bérenger. — Le rhinocéros, ou si vous voulez, ces deux malheureux rhinocéros que nous avons aperçus.

Jean. — Ah oui, je me souviens... Qui vous a dit que ces deux rhinocéros étaient malheureux ?

Bérenger. — C'est une façon de parler.

Jean. — Bon. N'en parlons plus.

Bérenger. — Vous êtes bien gentil.

Jean. — Et alors ?

Bérenger. — Je tiens quand même à vous dire que je regrette d'avoir soutenu... avec acharnement, avec entêtement... avec colère... oui, bref, bref... J'ai été stupide.

Jean. — Ça ne m'étonne pas de vous.

Bérenger. — Excusez-moi.

Jean. — Je ne me sens pas très bien. (*Il tousse.*)

Bérenger. — C'est la raison, sans doute, pour laquelle vous êtes au lit. (*Changeant de ton.*) Vous savez, Jean, nous avions raison tous les deux.

Jean. — A quel propos ?

Bérenger. — Au sujet de... la même chose. Encore une fois, excusez-moi d'y revenir, je ne m'y étendrai pas longtemps. Je tiens donc à vous dire, mon cher Jean, que, chacun à sa façon, nous avions raison tous les deux. Maintenant, c'est prouvé. Il y a, dans la ville, des rhinocéros à deux cornes, aussi bien que des rhinocéros à une corne.

Jean. — C'est ce que je vous disais ! Eh bien, tant pis.

Bérenger. — Oui, tant pis.

Jean. — Ou tant mieux, c'est selon.

Bérenger (*continuant*). — D'où viennent les uns, d'où viennent les autres, ou, d'où viennent les autres, d'où viennent les uns, cela importe peu au fond. La seule chose qui compte à mes yeux, c'est l'existence du rhinocéros en soi, car...

114

JEAN (*se retournant et s'asseyant sur son lit défait, face à Bérenger*). — Je ne me sens pas très bien, je ne me sens pas très bien !

BÉRENGER. — J'en suis désolé ! Qu'avez-vous donc ?

JEAN. — Je ne sais pas trop, un malaise, des malaises...

BÉRENGER. — Des faiblesses ?

JEAN. — Pas du tout. Ça bouillonne au contraire.

BÉRENGER. — Je veux dire... une faiblesse passagère. Ça peut arriver à tout le monde.

JEAN. — A moi, jamais.

BÉRENGER. — Peut-être un excès de santé, alors. Trop d'énergie, ça aussi c'est mauvais parfois. Ça déséquilibre le système nerveux.

JEAN. — J'ai un équilibre parfait. (*La voix de Jean se fait de plus en plus rauque.*) Je suis sain d'esprit et de corps. Mon hérédité...

BÉRENGER. — Bien sûr, bien sûr. Peut-être avez-vous pris froid quand même. Avez-vous de la fièvre ?

JEAN. — Je ne sais pas. Si, sans doute un peu de fièvre. J'ai mal à la tête.

BÉRENGER. — Une petite migraine. Je vais vous laisser, si vous voulez.

JEAN. — Restez. Vous ne me gênez pas.

BÉRENGER. — Vous êtes enroué, aussi.

JEAN. — Enroué ?

BÉRENGER. — Un peu enroué, oui. C'est pour cela que je ne reconnaissais pas votre voix.

JEAN. — Pourquoi serais-je enroué ? Ma voix n'a pas changé, c'est plutôt la vôtre qui a changé.

BÉRENGER. — La mienne ?

JEAN. — Pourquoi pas ?

BÉRENGER. — C'est possible. Je ne m'en étais pas aperçu.

JEAN. — De quoi êtes-vous capable de vous apercevoir. (*Mettant la main à son front.*) C'est le front plus précisément qui me fait mal. Je me suis cogné, sans doute ! (*Sa voix est encore plus rauque.*)

BÉRENGER. — Quand vous êtes-vous cogné ?

JEAN. — Je ne sais pas. Je ne m'en souviens pas.

BÉRENGER. — Vous auriez eu mal.

JEAN. — Je me suis peut-être cogné en dormant.

BÉRENGER. — Le choc vous aurait réveillé. Vous avez sans doute simplement rêvé que vous vous êtes cogné.

JEAN. — Je ne rêve jamais...

BÉRENGER (*continuant*). — Le mal de tête a dû vous prendre pendant votre sommeil, vous avez oublié d'avoir rêvé, ou plutôt vous vous en souvenez inconsciemment !

JEAN. — Moi, inconsciemment ? Je suis maître de mes pensées, je ne me laisse pas aller à la dérive. Je vais tout droit, je vais toujours tout droit.

Bérenger. — Je le sais. Je ne me suis pas fait comprendre.

Jean. — Soyez plus clair. Ce n'est pas la peine de me dire des choses désagréables.

Bérenger. — On a souvent l'impression qu'on s'est cogné, quand on a mal à la tête. (*S'approchant de Jean.*) Si vous vous étiez cogné, vous devriez avoir une bosse. (*Regardant Jean.*) Si, tiens, vous en avez une, vous avez une bosse en effet.

Jean. — Une bosse ?

Bérenger. — Une toute petite.

Jean. — Où ?

Bérenger (*montrant le front de Jean*). — Tenez, elle pointe juste au-dessus de votre nez.

Jean. — Je n'ai point de bosse. Dans ma famille, on n'en a jamais eu.

Bérenger. — Avez-vous une glace ?

Jean. — Ah ça alors ! (*Se tâtant le front.*) On dirait bien pourtant. Je vais voir, dans la salle de bains. (*Il se lève brusquement et se dirige vers la salle de bains. Bérenger le suit du regard. De la salle de bains :*) C'est vrai, j'ai une bosse. (*Il revient, son teint est devenu plus verdâtre.*) Vous voyez bien que je me suis cogné.

BÉRENGER. — Vous avez mauvaise mine, votre teint est verdâtre.

JEAN. — Vous adorez me dire des choses désagréables. Et vous, vous êtes-vous regardé ?

BÉRENGER. — Excusez-moi, je ne veux pas vous faire de la peine.

JEAN (*très ennuyé*). — On ne le dirait pas.

BÉRENGER. — Votre respiration est très bruyante. Avez-vous mal à la gorge ? (*Jean va de nouveau s'asseoir sur son lit.*) Avez-vous mal à la gorge ? c'est peut-être une angine.

JEAN. — Pourquoi aurais-je une angine ?

BÉRENGER. — Ça n'est pas infamant, moi aussi j'ai eu des angines. Permettez que je prenne votre pouls. (*Bérenger se lève, il va prendre le pouls de Jean.*)

JEAN (*d'une voix encore plus rauque*). — Oh, ça ira.

BÉRENGER. — Votre pouls bat à un rythme tout à fait régulier. Ne vous effrayez pas.

JEAN. — Je ne suis pas effrayé du tout, pourquoi le serais-je ?

BÉRENGER. — Vous avez raison. Quelques jours de repos, et ce sera fini.

JEAN. — Je n'ai pas le temps de me reposer. Je dois chercher ma nourriture.

BÉRENGER. — Vous n'avez pas grand-chose, puisque vous avez faim. Cependant, vous devriez quand même vous reposer quelques jours.

Ce sera plus prudent. Avez-vous fait venir le médecin ?

Jean. — Je n'ai pas besoin de médecin.

Bérenger. — Si, il faut faire venir le médecin.

Jean. — Vous n'allez pas faire venir le médecin, puisque je ne veux pas faire venir le médecin. Je me soigne tout seul.

Bérenger. — Vous avez tort de ne pas croire à la médecine.

Jean. — Les médecins inventent des maladies qui n'existent pas.

Bérenger. — Cela part d'un bon sentiment. C'est pour le plaisir de soigner les gens.

Jean. — Ils inventent les maladies, ils inventent les maladies !

Bérenger. — Peut-être les inventent-ils. Mais ils guérissent les maladies qu'ils inventent.

Jean. — Je n'ai confiance que dans les vétérinaires.

Bérenger (*qui avait lâché le poignet de Jean, le prend de nouveau*). — Vos veines ont l'air de se gonfler. Elles sont saillantes.

Jean. — C'est un signe de force.

Bérenger. — Evidemment, c'est un signe de santé et de force. Cependant... (*Il observe de plus près l'avant-bras de Jean, malgré celui-ci, qui réussit à le retirer violemment.*)

JEAN. — Qu'avez-vous à m'examiner comme une bête curieuse ?

BÉRENGER. — Votre peau...

JEAN. — Qu'est-ce qu'elle peut vous faire ma peau ? Est-ce que je m'occupe de votre peau ?

BÉRENGER. — On dirait... oui, on dirait qu'elle change de couleur à vue d'œil. Elle verdit. (*Il veut reprendre la main de Jean.*) Elle durcit aussi.

JEAN (*retirant de nouveau sa main*). — Ne me tâtez pas comme ça. Qu'est-ce qu'il vous prend ? Vous m'ennuyez.

BÉRENGER (*pour lui*). — C'est peut-être plus grave que je ne croyais. (*A Jean.*) Il faut appeler le médecin. (*Il se dirige vers le téléphone.*)

JEAN. — Laissez cet appareil tranquille. (*Il se précipite vers Bérenger et le repousse. Bérenger chancelle.*) Mêlez-vous de ce qui vous regarde.

BÉRENGER. — Bon, bon. C'était pour votre bien.

JEAN (*toussant et respirant bruyamment*). — Je connais mon bien mieux que vous.

BÉRENGER. — Vous ne respirez pas facilement.

JEAN. — On respire comme on peut ! Vous n'aimez pas ma respiration, moi, je n'aime pas la vôtre. Vous respirez trop faiblement, on ne vous entend même pas, on dirait que vous allez mourir d'un instant à l'autre.

BÉRENGER. — Sans doute n'ai-je pas votre force.

JEAN. — Est-ce que je vous envoie, vous, chez le médecin pour qu'il vous en donne ? Chacun fait ce qu'il veut !

BÉRENGER. — Ne vous mettez pas en colère contre moi. Vous savez bien que je suis votre ami.

JEAN. — L'amitié n'existe pas. Je ne crois pas en votre amitié.

BÉRENGER. — Vous me vexez.

JEAN. — Vous n'avez pas à vous vexer.

BÉRENGER. — Mon cher Jean...

JEAN. — Je ne suis pas votre cher Jean.

BÉRENGER. — Vous êtes bien misanthrope aujourd'hui.

JEAN. — Oui, je suis misanthrope, misanthrope, misanthrope, ça me plaît d'être misanthrope.

BÉRENGER. — Vous m'en voulez sans doute encore, pour notre sotte querelle d'hier, c'était ma faute, je le reconnais. Et justement j'étais venu pour m'excuser...

JEAN. — De quelle querelle parlez-vous ?

BÉRENGER. — Je viens de vous le rappeler. Vous savez, le rhinocéros !

JEAN (*sans écouter Bérenger*). — A vrai dire,

je ne déteste pas les hommes, ils me sont indif-
férents, ou bien ils me dégoûtent, mais qu'ils
ne se mettent pas en travers de ma route, je
les écraserais.

BÉRENGER. — Vous savez bien que je ne
serai jamais un obstacle...

JEAN. — J'ai un but, moi. Je fonce vers lui.

BÉRENGER. — Vous avez raison certainement.
Cependant, je crois que vous passez par une
crise morale. (*Depuis un instant, Jean parcourt
la chambre, comme une bête en cage, d'un mur
à l'autre. Bérenger l'observe, s'écarte de temps
en temps, légèrement, pour l'éviter. La voix
de Jean est toujours de plus en plus rauque.*)
Ne vous énervez pas, ne vous énervez pas.

JEAN. — Je me sentais mal à l'aise dans mes
vêtements, maintenant mon pyjama aussi me
gêne ! (*Il entrouvre et referme la veste de son
pyjama.*)

BÉRENGER. — Ah mais, qu'est-ce qu'elle a
votre peau ?

JEAN. — Encore ma peau ? C'est ma peau, je
ne la changerai certainement pas contre la
vôtre.

BÉRENGER. — On dirait du cuir.

JEAN. — C'est plus solide. Je résiste aux in-
tempéries.

BÉRENGER. — Vous êtes de plus en plus vert.

JEAN. — Vous avez la manie des couleurs

122

aujourd'hui. Vous avez des visions, vous avez encore bu.

Bérenger. — J'ai bu hier, plus aujourd'hui.

Jean. — C'est le résultat de tout un passé de débauches.

Bérenger. — Je vous ai promis de m'amender, vous le savez bien, car moi, j'écoute les conseils d'amis comme vous. Je ne m'en sens pas humilié, au contraire.

Jean. — Je m'en fiche. Brrr...

Bérenger. — Que dites-vous ?

Jean. — Je ne dis rien. Je fais brrr... ça m'amuse.

Bérenger (*regardant Jean dans les yeux*). — Savez-vous ce qui est arrivé à Bœuf ? Il est devenu rhinocéros.

Jean. — Qu'est-il arrivé à Bœuf ?

Bérenger. — Il est devenu rhinocéros.

Jean (*s'éventant avec les pans de sa veste*). — Brrr...

Bérenger. — Ne plaisantez plus, voyons.

Jean. — Laissez-moi donc souffler. J'en ai bien le droit. Je suis chez moi.

Bérenger. — Je ne dis pas le contraire.

Jean. — Vous faites bien de ne pas me contredire. J'ai chaud, j'ai chaud. Brrr... Une seconde. Je vais me rafraîchir.

Bérenger (*tandis que Jean se précipite dans la salle de bains*). — C'est la fièvre. (*Jean est*

*dans la salle de bains, on l'entend souffler, et
on entend aussi couler l'eau d'un robinet.)*

JEAN (*à côté*). — Brrr...

BÉRENGER. — Il a des frissons. Tant pis, je
téléphone au médecin. (*Il se dirige de nouveau
vers le téléphone, puis se retire brusquement,
lorsqu'il entend la voix de Jean.*)

JEAN. — Alors, ce brave Bœuf est devenu
rhinocéros. Ah, ah, ah... Il s'est moqué de vous,
il s'est déguisé. (*Il sort sa tête par l'entrebâil-
lement de la porte de la salle de bains. Il est
très vert. Sa bosse est un peu plus grande, au-
dessus du nez.*) Il s'est déguisé.

BÉRENGER (*se promenant dans la pièce, sans
regarder Jean*). — Je vous assure que ça avait
l'air très sérieux.

JEAN. — Eh bien, ça le regarde.

BÉRENGER (*se tournant vers Jean qui disparaît dans la salle de bains*). — Il ne l'a sans
doute pas fait exprès. Le changement s'est fait
contre sa volonté.

JEAN (*à côté*). — Qu'est-ce que vous en savez ?

BÉRENGER. — Du moins, tout nous le fait
supposer.

JEAN. — Et s'il l'avait fait exprès ? Hein, s'il
l'avait fait exprès ?

BÉRENGER. — Ça m'étonnerait. Du moins,

Mme Bœuf n'avait pas l'air du tout d'être au courant...

Jean (*d'une voix très rauque*). — Ah, ah, ah ! Cette grosse Mme Bœuf ! Ah là là ! c'est une idiote !

Bérenger. — Idiote, ou non...

Jean (*il entre rapidement, enlève sa veste qu'il jette sur le lit, tandis que Bérenger se retourne discrètement. Jean, qui a la poitrine et le dos verts, rentre de nouveau dans la salle de bains. Rentrant et sortant*). — Bœuf ne mettait jamais sa femme au courant de ses projets...

Bérenger. — Vous vous trompez, Jean. C'est un ménage très uni, au contraire.

Jean. — Très uni, vous en êtes sûr ? Hum, hum. Brrr...

Bérenger (*se dirigeant vers la salle de bains dont Jean lui claque la porte au nez*). — Très uni. La preuve c'est que...

Jean (*de l'autre côté*). — Bœuf avait sa vie personnelle. Il s'était réservé un coin secret, dans le fond de son cœur.

Bérenger. — Je ne devrais pas vous faire parler, ça a l'air de vous faire du mal.

Jean. — Ça me dégage, au contraire.

Bérenger. — Laissez-moi appeler le médecin, tout de même, je vous en prie.

Jean. — Je vous l'interdis absolument. Je n'aime pas les gens têtus. (*Jean entre dans la*

chambre. *Bérenger recule un peu effrayé, car
Jean est encore plus vert, et il parle avec beaucoup de peine. Sa voix est méconnaissable.*) Et
alors, s'il est devenu rhinocéros de plein gré ou
contre sa volonté, ça vaut peut-être mieux pour
lui.

BÉRENGER. — Que dites-vous là, cher ami ?
Comment pouvez-vous penser...

JEAN. — Vous voyez le mal partout. Puisque
ça lui fait plaisir de devenir rhinocéros, puisque
ça lui fait plaisir ! Il n'y a rien d'extraordinaire à cela.

BÉRENGER. — Evidemment, il n'y a rien
d'extraordinaire à cela. Pourtant, je doute que
ça lui fasse tellement plaisir.

JEAN. — Et pourquoi donc ?

BÉRENGER. — Il m'est difficile de dire pourquoi. Ça se comprend.

JEAN. — Je vous dis que ce n'est pas si mal
que ça ! Après tout, les rhinocéros sont des
créatures comme nous, qui ont droit à la vie
au même titre que nous !

BÉRENGER. — A condition qu'elles ne détrui-
sent pas la nôtre. Vous rendez-vous compte de
la différence de mentalité ?

JEAN (*allant et venant dans la pièce, entrant
dans la salle de bains, et sortant*). — Pensez-
vous que la nôtre soit préférable ?

BÉRENGER. — Tout de même, nous avons

notre morale à nous, que je juge incompatible avec celle de ces animaux.

JEAN. — La morale ! Parlons-en de la morale, j'en ai assez de la morale, elle est belle la morale ! Il faut dépasser la morale.

BÉRENGER. — Que mettriez-vous à la place ?

JEAN (*même jeu*). — La nature !

BÉRENGER. — La nature ?

JEAN (*même jeu*). — La nature a ses lois. La morale est antinaturelle.

BÉRENGER. — Si je comprends, vous voulez remplacer la loi morale par la loi de la jungle !

JEAN. — J'y vivrai, j'y vivrai.

BÉRENGER. — Cela se dit. Mais dans le fond, personne...

JEAN (*l'interrompant, et allant et venant*). — Il faut reconstituer les fondements de notre vie. Il faut retourner à l'intégrité primordiale.

BÉRENGER. — Je ne suis pas du tout d'accord avec vous.

JEAN (*soufflant bruyamment*). — Je veux respirer.

BÉRENGER. — Réfléchissez, voyons, vous vous rendez bien compte que nous avons une philosophie que ces animaux n'ont pas, un système de valeurs irremplaçable. Des siècles de civilisation humaine l'ont bâti !...

JEAN (*toujours dans la salle de bains*). — Démolissons tout cela, on s'en portera mieux.

BÉRENGER. — Je ne vous prends pas au sérieux. Vous plaisantez, vous faites de la poésie.

JEAN. — Brrr... (*Il barrit presque.*)

BÉRENGER. — Je ne savais pas que vous étiez poète.

JEAN (*il sort de la salle de bains*). — Brrr... (*Il barrit de nouveau.*)

BÉRENGER. — Je vous connais trop bien pour croire que c'est là votre pensée profonde. Car, vous le savez aussi bien que moi, l'homme...

JEAN (*l'interrompant*). — L'homme... Ne prononcez plus ce mot !

BÉRENGER. — Je veux dire l'être humain, l'humanisme...

JEAN. — L'humanisme est périmé ! Vous êtes un vieux sentimental ridicule. (*Il entre dans la salle de bains.*)

BÉRENGER. — Enfin, tout de même, l'esprit...

JEAN (*dans la salle de bains*). — Des clichés ! vous me racontez des bêtises.

BÉRENGER. — Des bêtises !

JEAN (*de la salle de bains, d'une voix très rauque difficilement compréhensible*). — Absolument.

BÉRENGER. — Je suis étonné de vous entendre dire cela, mon cher Jean ! Perdez-vous la tête ? Enfin, aimeriez-vous être rhinocéros ?

JEAN. — Pourquoi pas ! Je n'ai pas vos préjugés.

BÉRENGER. — Parlez plus distinctement. Je ne comprends pas. Vous articulez mal.

JEAN (*toujours de la salle de bains*). — Ouvrez vos oreilles !

BÉRENGER. — Comment ?

JEAN. — Ouvrez vos oreilles. J'ai dit, pourquoi pas ne pas être un rhinocéros ? J'aime les changements.

BÉRENGER. — De telles affirmations venant de votre part... (*Bérenger s'interrompt, car Jean fait une apparition effrayante. En effet, Jean est devenu tout à fait vert. La bosse de son front est presque devenue une corne de rhinocéros.*) Oh ! vous semblez vraiment perdre la tête ! (*Jean se précipite vers son lit, jette les couvertures par terre, prononce des paroles furieuses et incompréhensibles, fait entendre des sons inouïs.*) Mais ne soyez pas si furieux, calmez-vous ! Je ne vous reconnais plus.

JEAN (*à peine distinctement*). — Chaud... trop chaud. Démolir tout cela, vêtements, ça gratte, vêtements, ça gratte. (*Il fait tomber le pantalon de son pyjama.*)

BÉRENGER. — Que faites-vous ? Je ne vous reconnais plus ! Vous, si pudique d'habitude !

JEAN. — Les marécages ! les marécages !...

BÉRENGER. — Regardez-moi ! Vous ne semblez plus me voir ! Vous ne semblez plus m'entendre !

JEAN. — Je vous entends très bien ! Je vous vois très bien ! (*Il fonce vers Bérenger tête baissée. Celui-ci s'écarte.*)

BÉRENGER. — Attention !

JEAN (*soufflant bruyamment*). — Pardon ! (*Puis il se précipite à toute vitesse dans la salle de bains.*)

BÉRENGER (*fait mine de fuir vers la porte à gauche puis fait demi-tour et va dans la salle de bains à la suite de Jean, en disant :*) Je ne peux tout de même pas le laisser comme cela, c'est un ami. (*De la salle de bains.*) Je vais appeler le médecin ! c'est indispensable, indispensable, croyez-moi.

JEAN (*dans la salle de bains*). — Non.

BÉRENGER (*dans la salle de bains*). — Si. Calmez-vous, Jean ! Vous êtes ridicule. Oh, votre corne s'allonge à vue d'œil !... Vous êtes rhinocéros !

JEAN (*dans la salle de bains*). — Je te piétinerai, je te piétinerai. (*Grand bruit dans la salle de bains, barrissements, bruit d'objets et d'une glace qui tombe et se brise; puis on voit apparaître Bérenger tout effrayé qui ferme avec peine la porte de la salle de bains, malgré la poussée contraire que l'on devine.*)

BÉRENGER (*poussant la porte*). — Il est rhi-

nocéros, il est rhinocéros ! (*Bérenger a réussi
à fermer la porte. Son veston est troué par une
corne. Au moment où Bérenger a réussi à fermer la porte, la corne du rhinocéros a traversé
celle-ci. Tandis que la porte s'ébranle sous la
poussée continuelle de l'animal, et que le
vacarme dans la salle de bains continue et que
l'on entend des barrissements mêlés à des mots
à peine distincts, comme : je rage, salaud, etc.,
Bérenger se précipite vers la porte de droite.*)
Jamais je n'aurais cru ça de lui ! (*Il ouvre la
porte donnant sur l'escalier, et va frapper à la
porte sur le palier, à coups de poing répétés.*)
Vous avez un rhinocéros dans l'immeuble !
Appelez la police ! (*La porte s'ouvre.*)

Le Petit Vieux (*sortant sa tête*). — Qu'est-
ce que vous avez ?

Bérenger. — Appelez la police ! Vous avez
un rhinocéros dans la maison !...

Voix de la Femme du Petit Vieux. — Qu'est-
ce qu'il y a, Jean ? Pourquoi fais-tu du bruit ?

Le Petit Vieux (*à sa femme*). — Je ne sais
pas ce qu'il raconte. Il a vu un rhinocéros.

Bérenger. — Oui, dans la maison. Appelez
la police !

Le Petit Vieux. — Qu'est-ce que vous avez
à déranger les gens comme cela. En voilà des
manières ! (*Il lui ferme la porte au nez.*)

Bérenger (*se précipitant dans l'escalier*). —

Concierge, concierge, vous avez un rhinocéros
dans la maison, appelez la police ! Concierge !
(*On voit s'ouvrir le haut de la porte de la loge
de la concierge; apparaît une tête de rhinocéros.*) Encore un ! (*Bérenger remonte à toute
allure les marches de l'escalier. Il veut entrer
dans la chambre de Jean, hésite, puis se dirige
de nouveau vers la porte du Petit Vieux. A ce
moment la porte du Petit Vieux s'ouvre et ap-
paraissent deux petites têtes de rhinocéros.*)
Mon Dieu ! Ciel ! (*Bérenger entre dans la
chambre de Jean tandis que la porte de la salle
de bains continue d'être secouée. Bérenger se
dirige vers la fenêtre, qui est indiquée par un
simple encadrement, sur le devant de la scène
face au public. Il est à bout de force, manque
de défaillir, bredouille :*) Ah mon Dieu ! Ah
mon Dieu ! (*Il fait un grand effort, se met à
enjamber la fenêtre, passe presque de l'autre
côté, c'est-à-dire vers la salle, et remonte vivement, car au même instant on voit apparaître,
de la fosse d'orchestre, la parcourant à toute
vitesse, une grande quantité de cornes de rhinocéros à la file. Bérenger remonte le plus vite
qu'il peut et regarde un instant par la fenêtre.*) Il y en a tout un troupeau maintenant
dans la rue ! Une armée de rhinocéros, ils dé-
valent l'avenue en pente !... (*Il regarde de tous
les côtés.*) Par où sortir, par où sortir !... Si

encore ils se contentaient du milieu de la rue !
Ils débordent sur le trottoir, par où sortir, par
où partir ! (*Affolé, il se dirige vers toutes les
portes, et vers la fenêtre, tour à tour, tandis
que la porte de la salle de bains continue de
s'ébranler et que l'on entend Jean barrir et pro-
férer des injures incompréhensibles. Le jeu
continue quelques instants : chaque fois que
dans ses tentatives désordonnées de fuite, Bérenger se trouve devant la porte des Vieux, ou
sur les marches de l'escalier, il est accueilli par
des têtes de rhinocéros qui barrissent et le font
reculer. Il va une dernière fois vers la fenêtre,
regarde.*) Tout un troupeau de rhinocéros ! Et
on disait que c'est un animal solitaire ! C'est
faux, il faut reviser cette conception ! Ils ont
démoli tous les bancs de l'avenue. (*Il se tord
les mains.*) Comment faire ? (*Il se dirige de
nouveau vers les différentes sorties, mais la vue
des rhinocéros l'en empêche. Lorsqu'il se trouve
de nouveau devant la porte de la salle de bains,
celle-ci menace de céder. Bérenger se jette
contre le mur du fond qui cède; on voit la
rue dans le fond, il s'enfuit en criant.*) Rhinocéros ! Rhinocéros ! (*Bruits, la porte de la salle de
bains va céder.*)

Rideau

ACTE III

DÉCOR

A peu près la même plantation qu'au tableau précédent. C'est la chambre de Bérenger, qui ressemble étonnamment à celle de Jean. Quelques détails seulement, un ou deux meubles en plus indiqueront qu'il s'agit d'une autre chambre. L'escalier à gauche, palier. Porte au fond du palier. Il n'y a pas la loge de la concierge. Divan au fond. Bérenger est allongé sur son divan, dos au public. Un fauteuil, une petite table avec téléphone. Une table supplémentaire peut-être, et une chaise. Fenêtre au fond, ouverte. Encadrement d'une fenêtre à l'avant-scène. Bérenger est habillé sur son divan. Il a la tête bandée. Il doit faire de mauvais rêves, car il s'agite dans son sommeil.

BÉRENGER. — Non. (*Pause.*) Les cornes, gare aux cornes ! (*Pause. On entend les bruits d'un assez grand nombre de rhinocéros qui passent sous la fenêtre du fond.*) Non ! (*Il tombe par terre, en se débattant contre ce qu'il voit en rêve et se réveille. Il met la main à son front, l'air effrayé, puis se dirige vers la glace, soulève son bandage tandis que les bruits s'éloignent. Il pousse un soupir de soulagement car il s'aperçoit qu'il n'a pas de bosse. Il hésite, va vers le divan, s'allonge, puis se relève tout de suite. Il se dirige vers la table d'où il prend une bouteille de cognac et un verre, fait mine de se verser à boire. Puis après un court débat muet, il va de nouveau poser la bouteille et le verre à leur place.)* De la volonté, de la volonté. *(Il veut se diriger de nouveau vers son divan, mais on entend de nouveau la course des rhinocéros sous la fenêtre du fond. Bérenger met la main à son cœur.)* Oh ! *(Il se dirige vers la fenêtre du fond, regarde un instant, puis, avec énervement, il ferme la fenêtre du fond. Les bruits cessent, il se dirige vers la petite table, hésite un instant, puis, avec un geste qui signifie : « tant pis », il se verse à boire un grand verre de cognac qu'il boit d'un trait. Il remet la bouteille et le verre en place. Il tousse. Sa propre toux a l'air de l'inquiéter, il tousse encore, et s'écoute tousser. Il se regarde de nouveau une seconde dans la glace, en toussant, ouvre la fenêtre, les souffles des fauves s'entendent plus fort, il tousse de nouveau.)* Non. Pas pareil ! *(Il se calme, ferme la fenêtre, se tâte le front par-dessus son bandage, va vers*

*son divan, a l'air de s'endormir. On voit Du-
dard monter les dernières marches de l'escalier,
arriver sur le palier, et frapper à la porte de
Bérenger.)*

Bérenger (*sursautant*). — Qu'est-ce qu'il y a !

Dudard. — Je suis venu vous voir, Bérenger,
je suis venu vous voir.

Bérenger. — Qui est là ?

Dudard. — C'est moi, c'est moi.

Bérenger. — Qui ça, moi ?

Dudard. — Moi, Dudard.

Bérenger. — Ah ! c'est vous, entrez.

Dudard. — Je ne vous dérange pas ? (*Il essaye d'ouvrir.*) La porte est fermée.

Bérenger. — Une seconde. Ah ! là là. (*Il
va ouvrir; Dudard entre.*)

Dudard. — Bonjour, Bérenger.

Bérenger. — Bonjour, Dudard, quelle heure
est-il ?

Dudard. — Alors, toujours là, à rester bar-
ricadé chez vous. Allez-vous mieux, mon cher ?

Bérenger. — Excusez-moi, je ne reconnaissais pas votre voix. (*Bérenger va aussi ouvrir la
fenêtre.*) Oui, oui, ça va un peu mieux, j'espère.

Dudard. — Ma voix n'a pas changé. Moi,
j'ai bien reconnu la vôtre.

Bérenger. — Excusez-moi, il m'avait sem-
blé... en effet, votre voix est bien la même. Ma
voix non plus n'a pas changé, n'est-ce pas ?

DUDARD. — Pourquoi aurait-elle changé ?

BÉRENGER. — Je ne suis pas un peu... un peu enroué ?

DUDARD. — Je n'ai pas du tout cette impression.

BÉRENGER. — Tant mieux. Vous me rassurez.

DUDARD. — Qu'est-ce qui vous prend ?

BÉRENGER. — Je ne sais pas, on ne sait jamais. Une voix peut changer, cela arrive, hélas !

DUDARD. — Auriez-vous attrapé froid aussi ?

BÉRENGER. — J'espère bien que non... j'espère bien que non, mais asseyez-vous, Dudard, installez-vous. Prenez le fauteuil.

DUDARD (*s'installant dans le fauteuil.*) — Vous ne vous sentez toujours pas bien ? Vous avez toujours mal à la tête ? (*Il montre le bandage de Bérenger.*)

BÉRENGER. — Mais oui, j'ai toujours mal à la tête. Mais je n'ai pas de bosse, je ne me suis pas cogné !... n'est-ce pas ? (*Il soulève son bandage, montre son front à Dudard.*)

DUDARD. — Non, vous n'avez pas de bosse. Je n'en vois pas.

BÉRENGER. — Je n'en aurai jamais, j'espère. Jamais.

DUDARD. — Si vous ne vous cognez pas, comment pourriez-vous en avoir ?

BÉRENGER. — Si on ne veut vraiment pas se cogner, on ne se cogne pas !

DUDARD. — Evidemment. Il s'agit de faire attention. Qu'est-ce que vous avez donc ? Vous êtes nerveux, agité. C'est évidemment à cause de votre migraine. Ne bougez plus, vous aurez moins mal.

BÉRENGER. — Une migraine ? Ne me parlez pas de migraine ! N'en parlez pas.

DUDARD. — C'est explicable que vous ayez des migraines, après votre émotion.

BÉRENGER. — J'ai du mal à me remettre !

DUDARD. — Alors, il n'y a rien d'extraordinaire à ce que vous ayez mal à la tête.

BÉRENGER (*se précipitant devant la glace, soulevant son bandage*). — Non, rien... Vous savez, c'est comme cela que ça peut commencer.

DUDARD. — Qu'est-ce qui peut commencer ?

BÉRENGER. — ... J'ai peur de devenir un autre.

DUDARD. — Tranquillisez-vous donc, asseyez-vous. A parcourir la pièce d'un bout à l'autre, cela ne peut que vous énerver davantage.

BÉRENGER. — Oui, vous avez raison, du calme. (*Il va s'asseoir.*) Je n'en reviens pas, vous savez.

DUDARD. — A cause de Jean, je le sais.

BÉRENGER. — Oui. A cause de Jean, bien sûr, à cause des autres aussi.

DUDARD. — Je comprends que vous ayez été choqué.

141

Bérenger. — On le serait à moins, vous l'admettez !

Dudard. — Enfin, tout de même, il ne faut pourtant pas exagérer, ce n'est pas une raison pour vous de...

Bérenger. — J'aurais voulu vous y voir. Jean était mon meilleur ami. Et ce revirement qui s'est produit sous mes yeux, sa colère !

Dudard. — D'accord. Vous avez été déçu, c'est entendu. N'y pensez plus.

Bérenger. — Comment pourrais-je ne pas y penser ! Ce garçon si humain, grand défenseur de l'humanisme ! Qui l'eût cru ! Lui, lui ! On se connaissait depuis... depuis toujours. Jamais je ne me serais douté qu'il aurait évolué de cette façon. J'étais plus sûr de lui que de moi-même !... Me faire ça, à moi.

Dudard. — Cela n'était sans doute pas dirigé spécialement contre vous !

Bérenger. — Cela en avait bien l'air pourtant. Si vous aviez vu dans quel état... l'expression de sa figure...

Dudard. — C'est parce que c'est vous qui vous trouviez par hasard chez lui. Avec n'importe qui cela se serait passé de la même façon.

Bérenger. — Devant moi, étant donné notre passé commun, il aurait pu se retenir.

Dudard. — Vous vous croyez le centre du monde, vous croyez que tout ce qui arrive vous

142

concerne personnellement ! Vous n'êtes pas la cible universelle !

Bérenger. — C'est peut-être juste. Je vais tâcher de me raisonner. Cependant le phénomène en soi est inquiétant. Moi, à vrai dire, cela me bouleverse. Comment l'expliquer ?

Dudard. — Pour le moment, je ne trouve pas encore une explication satisfaisante. Je constate les faits, je les enregistre. Cela existe, donc cela doit pouvoir s'expliquer. Des curiosités de la nature, des bizarreries, des extravagances, un jeu, qui sait ?

Bérenger. — Jean était très orgueilleux. Moi, je n'ai pas d'ambition. Je me contente de ce que je suis.

Dudard. — Peut-être aimait-il l'air pur, la campagne, l'espace... peut-être avait-il besoin de se détendre. Je ne dis pas ça pour l'excuser...

Bérenger. — Je vous comprends, enfin j'essaye. Pourtant, même si on m'accusait de ne pas avoir l'esprit sportif ou d'être un petit bourgeois, figé dans son univers clos, je resterais sur mes positions.

Dudard. — Nous resterons tous les mêmes, bien sûr. Alors pourquoi vous inquiétez-vous pour quelques cas de rhinocérite ? Cela peut être aussi une maladie.

Bérenger. — Justement, j'ai peur de la contagion.

143

DUDARD. — Oh, n'y pensez plus. Vraiment, vous attachez trop d'importance à la chose. L'exemple de Jean n'est pas symptomatique, n'est pas représentatif, vous avez dit vous-même que Jean était orgueilleux. A mon avis, excusez-moi de dire du mal de votre ami, c'était un excité, un peu sauvage, un excentrique, on ne prend pas en considération les originaux. C'est la moyenne qui compte.

BÉRENGER. — Alors cela s'éclaire. Vous voyez, vous ne pouviez pas expliquer le phénomène. Eh bien, voilà, vous venez de me donner une explication plausible. Oui, pour s'être mis dans cet état, il a certainement dû avoir une crise, un accès de folie... Et pourtant il avait des arguments, il semblait avoir réfléchi à la question, mûri sa décision... Mais Bœuf, Bœuf, était-il fou lui aussi ?... et les autres, les autres ?...

DUDARD. — Il reste l'hypothèse de l'épidémie. C'est comme la grippe. Ça c'est déjà vu des épidémies.

BÉRENGER. — Elles n'ont jamais ressemblé à celle-ci. Et si ça venait des colonies ?

DUDARD. — En tout cas, vous ne pouvez pas prétendre que Bœuf et les autres, eux aussi, ont fait ce qu'ils ont fait, ou sont devenus ce qu'ils sont devenus, exprès pour vous ennuyer. Ils ne se seraient pas donné ce mal.

BÉRENGER. — C'est vrai, c'est sensé ce que

vous dites, c'est une parole rassurante... ou peut-
être au contraire cela est-il plus grave encore ?
(*On entend des rhinocéros galoper sous la fenêtre du fond.*) Tenez, vous entendez ? (*Il se
précipite vers la fenêtre.*)

DUDARD. — Laissez-les donc tranquilles ! (*Bérenger referme la fenêtre.*) En quoi vous
gênent-ils ? Vraiment, ils vous obsèdent. Ce
n'est pas bien. Vous vous épuisez nerveusement.
Vous avez eu un choc, c'est entendu ! N'en
cherchez pas d'autres. Maintenant, tâchez tout
simplement de vous rétablir.

BÉRENGER. — Je me demande si je suis bien
immunisé.

DUDARD. — De toute façon, ce n'est pas mortel. Il y a des maladies qui sont saines. Je suis
convaincu qu'on en guérit si on veut. Ça leur
passera, allez.

BÉRENGER. — Ça doit certainement laisser
des traces ! Un tel déséquilibre organique ne
peut pas ne pas en laisser...

DUDARD. — C'est passager, ne vous en faites
pas.

BÉRENGER. — Vous en êtes convaincu ?

DUDARD. — Je le crois, oui, je le suppose.

BÉRENGER. — Mais si on ne veut vraiment
pas, n'est-ce pas, si on ne veut vraiment pas
attraper ce mal, qui est un mal nerveux, on ne
l'attrape pas, on ne l'attrape pas !... Voulez-

vous un verre de cognac ? (*Il se dirige vers la table où se trouve la bouteille.*)

DUDARD. — Ne vous dérangez pas, je n'en prends pas, merci. Qu'à cela ne tienne, si vous voulez en prendre, allez-y, ne vous gênez pas pour moi, mais attention, vous aurez encore plus mal à la tête après.

BÉRENGER. — L'alcool est bon contre les épidémies. Ça m'immunise. Par exemple, ça tue les microbes de la grippe.

DUDARD. — Ça ne tue peut-être pas tous les microbes de toutes les maladies. Pour la rhinocérite, on peut pas encore savoir.

BÉRENGER. — Jean ne buvait jamais d'alcool. Il le prétendait. C'est peut-être pour cela qu'il... c'est peut-être cela qui explique son attitude. (*Il tend un verre plein à Dudard.*) Vous n'en voulez vraiment pas ?

DUDARD. — Non, non, jamais avant le déjeuner. Merci.

BÉRENGER (*il vide son verre, continuant de le tenir à la main ainsi que la bouteille; il tousse*).

DUDARD. — Vous voyez, vous voyez, vous ne le supportez pas. Ça vous fait tousser.

BÉRENGER (*inquiet*). — Oui, ça m'a fait tousser. Comment ai-je toussé ?

DUDARD. — Comme tout le monde, quand on boit quelque chose d'un peu fort.

BÉRENGER (*allant déposer le verre et la bou-*

teille sur la table). — Ce n'était pas une toux étrange ? C'était bien une véritable toux humaine ?

DUDARD. — Qu'allez-vous chercher ? C'était une toux humaine. Quel autre genre de toux cela aurait-il pu être ?

BÉRENGER. — Je ne sais pas... Une toux d'animal, peut-être... Est-ce que ça tousse un rhinocéros ?

DUDARD. — Voyons, Bérenger, vous êtes ridicule, vous vous créez des problèmes, vous vous posez des questions saugrenues... Je vous rappelle que vous précisiez vous-même que la meilleure façon de se défendre contre la chose c'est d'avoir de la volonté.

BÉRENGER — Oui, bien sûr.

DUDARD. — Eh bien, prouvez que vous en avez.

BÉRENGER. — Je vous assure que j'en ai...

DUDARD. — ... Prouvez-le à vous-même, tenez, ne buvez plus de cognac... vous serez plus sûr de vous.

BÉRENGER. — Vous ne voulez pas me comprendre. Je vous répète que c'est tout simplement parce que cela préserve du pire que j'en prends, oui, c'est calculé. Quand il n'y aura plus d'épidémie, je ne boirai plus. J'avais déjà pris cette décision avant les événements. Je la reporte, provisoirement !

DUDARD. — Vous vous donnez des excuses.

BÉRENGER. — Ah oui, vous croyez ?... En tout cas, cela n'a rien à voir avec ce qui se passe.

DUDARD. — Sait-on jamais ?

BÉRENGER (*effrayé*). — Vous le pensez vraiment ? Vous croyez que cela prépare le terrain ! Je ne suis pas alcoolique. (*Il se dirige vers la glace; s'y observe.*) Est-ce que par hasard... (*Il met la main sur sa figure, tâte son front par-dessus le bandage.*) Rien n'est changé, ça ne m'a pas fait de mal, c'est la preuve que ça a du bon... ou du moins que c'est inoffensif.

DUDARD. — Je plaisantais, Bérenger, voyons. Je vous taquinais. Vous voyez tout en noir, vous allez devenir neurasthénique, attention. Lorsque vous serez tout à fait rétabli de votre choc, de votre dépression, et que vous pourrez sortir, prendre un peu d'air, ça ira mieux, vous allez voir. Vos idées sombres s'évanouiront.

BÉRENGER. — Sortir ? Il faudra bien. J'appréhende ce moment. Je vais certainement en rencontrer...

DUDARD. — Et alors ? Vous n'avez qu'à éviter de vous mettre sur leur passage. Ils ne sont pas tellement nombreux d'ailleurs.

BÉRENGER. — Je ne vois qu'eux. Vous allez dire que c'est morbide, de ma part.

DUDARD. — Ils ne vous attaquent pas. Si on

148

les laisse tranquilles, ils vous ignorent. Dans le fond, ils ne sont pas méchants. Il y a même chez eux une certaine innocence naturelle, oui; de la candeur. D'ailleurs, j'ai parcouru moi-même, à pied, toute l'avenue pour venir chez vous. Vous voyez, je suis sain et sauf, je n'ai eu aucun ennui.

Bérenger. — Rien qu'à les voir, moi, ça me bouleverse. C'est nerveux. Ça ne me met pas en colère, non, on ne doit pas se mettre en colère, ça peut mener loin, la colère, je m'en préserve, mais cela me fait quelque chose, là, (*Il montre son cœur*) cela me serre le cœur.

Dudard. — Jusqu'à un certain point, vous avez raison d'être impressionné. Vous l'êtes trop, cependant. Vous manquez d'humour, c'est votre défaut, vous manquez d'humour. Il faut prendre les choses à la légère, avec détachement.

Bérenger. — Je me sens solidaire de tout ce qui arrive. Je prends part, je ne peux pas rester indifférent.

Dudard. — Ne jugez pas les autres, si vous ne voulez pas être jugé. Et puis si on se faisait des soucis pour tout ce qui se passe, on ne pourrait plus vivre.

Bérenger. — Si cela s'était passé ailleurs, dans un autre pays et qu'on eût appris cela par les journaux, on pourrait discuter paisiblement de la chose, étudier la question sur toutes ses faces, en tirer objectivement des conclusions. On organiserait des débats académiques, on ferait venir des savants, des écrivains, des hommes de loi, des femmes savantes, des artistes. Des hommes de la rue aussi, ce serait intéressant, passionnant, instructif. Mais quand vous êtes pris vous-même dans l'événement, quand vous êtes mis tout à coup devant la réalité brutale des faits, on ne peut pas ne pas se sentir concerné directement, on est trop violemment surpris pour garder tout son sang-froid. Moi, je suis surpris, je suis surpris, je suis surpris ! Je n'en reviens pas.

DUDARD. — Moi aussi, j'ai été surpris, comme vous. Ou plutôt je l'étais. Je commence déjà à m'habituer.

BÉRENGER. — Vous avez un système nerveux mieux équilibré que le mien. Je vous en félicite. Mais vous ne trouvez pas que c'est malheureux...

DUDARD (*l'interrompant*). — Je ne dis certainement pas que c'est un bien. Et ne croyez pas que je prenne parti à fond pour les rhinocéros... (*Nouveaux bruits de rhinocéros passant, cette fois, sous l'encadrement de la fenêtre à l'avant-scène.*)

BÉRENGER (*sursautant*). — Les voilà encore ! Les voilà encore ! Ah non, rien à faire, moi je ne peux pas m'y habituer. J'ai tort peut-être. Ils me préoccupent tellement malgré moi que cela m'empêche de dormir. J'ai des insomnies. Je somnole dans la journée quand je suis à bout de fatigue.

DUDARD. — Prenez des somnifères.

BÉRENGER. — Ce n'est pas une solution. Si je dors, c'est pire. J'en rêve la nuit, j'ai des cauchemars.

DUDARD. — Voilà ce que c'est que de prendre les choses trop à cœur. Vous aimez bien vous torturer. Avouez-le.

BÉRENGER. — Je vous jure que je ne suis pas masochiste.

DUDARD. — Alors, assimilez la chose et dépassez-la. Puisqu'il en est ainsi, c'est qu'il ne peut en être autrement.

BÉRENGER. — C'est du fatalisme.

DUDARD. — C'est de la sagesse. Lorsqu'un tel phénomène se produit, il a certainement une raison de se produire. C'est cette cause qu'il faut discerner.

BÉRENGER (*se levant*). — Eh bien, moi, je ne veux pas accepter cette situation.

DUDARD. — Que pouvez-vous faire ? Que comptez-vous faire ?

BÉRENGER. — Pour le moment, je ne sais pas. Je réfléchirai. J'enverrai des lettres aux journaux, j'écrirai des manifestes, je solliciterai une audience au maire, à son adjoint, si le maire est trop occupé.

Dudard. — Laissez les autorités réagir d'elles-mêmes ! Après tout je me demande si, moralement, vous avez le droit de vous mêler de l'affaire. D'ailleurs, je continue de penser que ce n'est pas grave. A mon avis, il est absurde de s'affoler pour quelques personnes qui ont voulu changer de peau. Ils ne se sentaient pas bien dans la leur. Ils sont bien libres, ça les regarde.

Bérenger. — Il faut couper le mal à la racine.

Dudard. — Le mal, le mal ! Parole creuse ! Peut-on savoir où est le mal, où est le bien ? Nous avons des préférences, évidemment. Vous craignez surtout pour vous. C'est ça la vérité, mais vous ne deviendrez jamais rhinocéros, vraiment... vous n'avez pas la vocation !

Bérenger. — Et voilà, et voilà ! Si les dirigeants et nos concitoyens pensent tous comme vous, ils ne se décideront pas à agir.

Dudard. — Vous n'allez tout de même pas demander l'aide de l'étranger. Ceci est une affaire intérieure, elle concerne uniquement notre pays.

Bérenger. — Je crois à la solidarité internationale...

Dudard. — Vous êtes un Don Quichotte ! Ah, je ne dis pas cela méchamment, je ne vous offense pas ! C'est pour votre bien, vous le savez, car, décidément, vous devez vous calmer.

Bérenger. — Je n'en doute pas, excusez-moi. Je suis trop anxieux. Je me corrigerai. Je m'excuse aussi de vous retenir, de vous obliger à écouter mes divagations. Vous avez sans doute du travail. Avez-vous reçu ma demande de congé de maladie ?

Dudard. — Ne vous inquiétez pas. C'est en ordre. D'ailleurs, le bureau n'a pas repris son activité.

Bérenger. — On n'a pas encore réparé l'escalier ? Quelle négligence ! C'est pour cela que tout va mal.

Dudard. — On est en train de réparer. Ça ne va pas vite. Il n'est pas facile de trouver des ouvriers. Ils viennent s'embaucher, ils travaillent un jour ou deux, et puis ils s'en vont. On ne les voit plus. Il faut en chercher d'autres.

Bérenger. — Et on se plaint du chômage ! J'espère au moins qu'on aura un escalier en ciment.

Dudard. — Non, en bois toujours, mais du bois neuf.

Bérenger. — Ah, la routine des administrations. Elles gaspillent de l'argent et quand il s'agit d'une dépense utile, elles prétendent qu'il n'y a pas de fonds suffisants. M. Papillon ne doit pas être content. Il y tenait beaucoup à son escalier en ciment. Qu'est-ce qu'il en pense ?

DUDARD. — Nous n'avons plus de chef. M. Papillon a donné sa démission.

BÉRENGER. — Pas possible !

DUDARD. — Puisque je vous le dis.

BÉRENGER. — Cela m'étonne... C'est à cause de cette histoire d'escalier ?

DUDARD. — Je ne crois pas. En tout cas, ce n'est pas la raison qu'il en a donné.

BÉRENGER. — Pourquoi donc alors ? Qu'est-ce qu'il lui prend ?

DUDARD. — Il veut se retirer à la campagne.

BÉRENGER. — Il prend sa retraite ? Il n'a pourtant pas l'âge, il pouvait encore devenir directeur.

DUDARD. — Il y a renoncé. Il prétendait qu'il avait besoin de repos.

BÉRENGER. — La Direction générale doit être bien ennuyée de ne plus l'avoir, il faudra le remplacer. C'est tant mieux pour vous, avec vos diplômes, vous avez votre chance.

DUDARD. — Pour ne rien vous cacher... c'est assez drôle, il est devenu rhinocéros. (*Bruits lointains de rhinocéros.*)

BÉRENGER. — Rhinocéros ! M. Papillon est devenu rhinocéros ! Ah, ça par exemple ! Ça par exemple !... Moi, je ne trouve pas cela drôle ! Pourquoi ne me l'avez-vous pas dit plus tôt ?

Dudard. — Vous voyez bien que vous n'avez pas d'humour. Je ne voulais pas vous le dire... je ne voulais pas vous le dire parce que, tel que je vous connais, je savais que vous ne trouveriez pas cela drôle, et que cela vous frapperait. Impressionnable comme vous l'êtes !

Bérenger (*levant les bras au ciel*). — Ah ça, ah ça !... M. Papillon !... Et il avait une si belle situation.

Dudard. — Cela prouve tout de même la sincérité de sa métamorphose.

Bérenger. — Il n'a pas dû le faire exprès, je suis convaincu qu'il s'agit là d'un changement involontaire.

Dudard. — Qu'en savons-nous ? Il est difficile de connaître les raisons secrètes des décisions des gens.

Bérenger. — Ça doit être un acte manqué. Il avait des complexes cachés. Il aurait dû se faire psychanaliser.

Dudard. — Même si c'est un transfert, cela peut être révélateur. Chacun trouve la sublimation qu'il peut.

Bérenger. — Il s'est laissé entraîner, j'en suis sûr.

Dudard. — Cela peut arriver à n'importe qui !

BÉRENGER (*effrayé*). — A n'importe qui ?
Ah non, pas à vous, n'est-ce pas, pas à vous ?
Pas à moi !

DUDARD. — Je l'espère.

BÉRENGER. — Puisqu'on ne veut pas... n'est-
ce pas... n'est-ce pas... dites ? n'est-ce pas, n'est-
ce pas ?

DUDARD. — Mais oui, mais oui...

BÉRENGER (*se calmant un peu*). — Je pensais
tout de même que M. Papillon aurait eu la
force de mieux résister. Je croyais qu'il avait
un peu plus de caractère !... D'autant plus que
je ne vois pas quel est son intérêt, son intérêt
matériel, son intérêt moral...

DUDARD. — Son geste est désintéressé. C'est
évident.

BÉRENGER. — Bien sûr. C'est une circons-
tance atténuante... ou aggravante ? Aggravante
plutôt, je crois, car s'il a fait cela par goût...
Vous voyez, je suis convaincu que Botard a
dû juger son comportement avec sévérité,
qu'est-ce qu'il en pense, lui, qu'est-ce qu'il en
pense de son chef ?

DUDARD. — Ce pauvre M. Botard, il était
indigné, il était outré. J'ai rarement vu quelqu'un de plus exaspéré.

BÉRENGER. — Eh bien, cette fois je ne lui
donne pas tort. Ah, Botard c'est tout de même

quelqu'un. Un homme sensé. Et moi qui le jugeais mal.

DUDARD. — Lui aussi vous jugeait mal.

BÉRENGER. — Cela prouve mon objectivité dans l'affaire actuelle. D'ailleurs, vous aviez vous-même une mauvaise opinion de lui.

DUDARD. — Une mauvaise opinion... ce n'est pas le mot. Je dois dire que je n'étais pas souvent d'accord avec lui. Son scepticisme, son incrédulité, sa méfiance me déplaisaient. Cette fois non plus, je ne lui ai pas donné toute mon approbation.

BÉRENGER. — Pour des raisons opposées, à présent.

DUDARD. — Non. Ce n'est pas exactement cela, mon raisonnement, mon jugement est tout de même un peu plus nuancé que vous ne semblez le croire. C'est parce qu'en fait Botard n'avait guère d'arguments précis et objectifs. Je vous répète que je n'approuve pas non plus les rhinocéros, non, pas du tout, ne pensez pas cela. Seulement, l'attitude de Botard était comme toujours trop passionnelle, donc simpliste. Sa prise de position me semble uniquement dictée par la haine de ses supérieurs. Donc, complexe d'infériorité, ressentiment. Et puis, il parle en clichés, les lieux communs ne me touchent pas.

BÉRENGER. — Eh bien, cette fois, je suis tout

à fait d'accord avec Botard, ne vous en déplaise.
C'est un brave type. Voilà.

DUDARD. — Je ne le nie pas, mais cela ne veut
rien dire.

BÉRENGER. — Oui, un brave type ! Ça ne se
trouve pas souvent les braves types, et pas dans
les nuages. Un brave type avec ses quatre pieds
sur terre; pardon, ses deux pieds, je veux dire.
Je suis heureux de me sentir en parfait accord
avec lui. Quand je le verrai, je le féliciterai. Je
condamne M. Papillon. Il avait le devoir de
ne pas succomber.

DUDARD. — Que vous êtes intolérant ! Peut-
être Papillon a-t-il senti le besoin d'une détente
après tant d'années de vie sédentaire.

BÉRENGER (*ironique*). — Vous, vous êtes trop
tolérant, trop large d'esprit !

DUDARD. — Mon cher Bérenger, il faut toujours essayer de comprendre. Et lorsqu'on veut
comprendre un phénomène et ses effets, il faut
remonter jusqu'à ses causes, par un effort intellectuel honnête. Mais il faut tâcher de le faire,
car nous sommes des êtres pensants. Je n'ai
pas réussi, je vous le répète, je ne sais pas si je
réussirai. De toute façon, on doit avoir, au départ, un préjugé favorable, ou sinon, au moins
une neutralité, une ouverture d'esprit qui est
le propre de la mentalité scientifique. Tout est
logique. Comprendre, c'est justifier.

Bérenger. — Vous allez bientôt devenir un sympathisant des rhinocéros.

Dudard. — Mais non, mais non. Je n'irai pas jusque-là. Je suis tout simplement quelqu'un qui essaye de voir les choses en face, froidement. Je veux être réaliste. Je me dis aussi qu'il n'y a pas de vices véritables dans ce qui est naturel. Malheur à celui qui voit le vice partout. C'est le propre des inquisiteurs.

Bérenger. — Vous trouvez, vous, que c'est naturel ?

Dudard. — Quoi de plus naturel qu'un rhinocéros ?

Bérenger. — Oui, mais un homme qui devient rhinocéros, c'est indiscutablement anormal.

Dudard. — Oh, indiscutablement !... vous savez...

Bérenger. — Oui, indiscutablement anormal, absolument anormal !

Dudard. — Vous me semblez bien sûr de vous. Peut-on savoir où s'arrête le normal, où commence l'anormal ? Vous pouvez définir ces notions, vous, normalité, anormalité ? Philosophiquement et médicalement, personne n'a pu résoudre le problème. Vous devriez être au courant de la question.

Bérenger. — Peut-être ne peut-on pas trancher philosophiquement cette question. Mais pratiquement, c'est facile. On vous démontre que le mouvement n'existe pas... et on marche, on marche, on marche... (*Il se met à marcher d'un bout à l'autre de la pièce.*) ... on marche ou alors on se dit à soi-même, comme Galilée : « E pur si muove... »

DUDARD. — Vous mélangez tout dans votre tête ! Ne confondez pas, voyons. Dans le cas de Galilée, c'était au contraire la pensée théorique et scientifique qui avait raison contre le sens commun et le dogmatisme.

BÉRENGER (*perdu*). — Qu'est-ce que c'est que ces histoires ! Le sens commun, le dogmatisme, des mots, des mots ! Je mélange peut-être tout dans ma tête, mais vous, vous la perdez. Vous ne savez plus ce qui est normal, ce qui ne l'est pas ! Vous m'assommez avec votre Galilée... Je m'en moque de Galilée.

DUDARD. — C'est vous-même qui l'avez cité et qui avez soulevé la question, en prétendant que la pratique avait toujours le dernier mot. Elle l'a peut-être, mais lorsqu'elle procède de la théorie ! L'histoire de la pensée et de la science le prouve bien.

BÉRENGER (*de plus en plus furieux*). — Ça ne prouve rien du tout ! C'est du charabia, c'est de la folie!

DUDARD. — Encore faut-il savoir ce que c'est que la folie...

BÉRENGER. — La folie, c'est la folie na ! La folie, c'est la folie tout court ! Tout le monde sait ce que c'est, la folie. Et les rhinocéros, c'est de la pratique, ou de la théorie ?

DUDARD. — L'un et l'autre.

BÉRENGER. — Comment l'un et l'autre !

DUDARD. — L'un et l'autre ou l'un ou l'autre. C'est à débattre !

BÉRENGER. — Alors là, je... je refuse de penser !

DUDARD. — Vous vous mettez hors de vous. Nous n'avons pas tout à fait les mêmes opinions, nous en discutons paisiblement. On doit discuter.

BÉRENGER (*affolé*). — Vous croyez que je suis hors de moi ? On dirait que je suis Jean. Ah, non, non, je ne veux pas devenir comme Jean. Ah non, je ne veux pas lui ressembler. (*Il se calme.*) Je ne suis pas calé en philosophie. Je n'ai pas fait d'études; vous, vous avez des diplômes. Voilà pourquoi vous êtes plus à l'aise dans la discussion, moi, je ne sais quoi vous répondre, je suis maladroit. (*Bruits plus forts des rhinocéros, passant d'abord sous la fenêtre du fond, puis sous la fenêtre d'en face.*) Mais je sens, moi, que vous êtes dans votre tort.. je le sens instinctivement, ou plutôt non, c'est le rhinocéros qui a de l'instinct, je le sens intuitivement, voilà le mot, intuitivement.

DUDARD. — Qu'entendez-vous par intuitivement ?

BÉRENGER. — Intuitivement, ça veut dire : ... comme ça, na ! Je sens, comme ça, que votre tolérance excessive, votre généreuse indulgence... en réalité, croyez-moi, c'est de la faiblesse... de l'aveuglement...

DUDARD. — C'est vous qui le prétendez, naïvement.

BÉRENGER. — Avec moi, vous aurez toujours beau jeu. Mais écoutez, je vais tâcher de retrouver le Logicien...

DUDARD. — Quel logicien ?

BÉRENGER. — Le Logicien, le philosophe, un logicien quoi... vous savez mieux que moi ce que c'est qu'un logicien. Un logicien que j'ai connu, qui m'a expliqué...

DUDARD. — Que vous a-t-il expliqué ?

BÉRENGER. — Qui a expliqué que les rhinocéros asiatiques étaient africains, et que les rhinocéros africains étaient asiatiques.

DUDARD. — Je saisis difficilement.

BÉRENGER. — Non... non... Il nous a démontré le contraire, c'est-à-dire que les africains étaient asiatiques et que les asiatiques... je m'entends. Ce n'est pas ce que je voulais dire. Enfin, vous vous débrouillerez avec lui. C'est quelqu'un dans votre genre, quelqu'un de bien, un intellectuel subtil, érudit. (*Bruits grandissants*

des rhinocéros. Les paroles des deux person-
nages sont couvertes par les bruits des fauves
qui passent sous les deux fenêtres; pendant un
court instant, on voit bouger les lèvres de Du-
dard et Bérenger, sans qu'on puisse les enten-
dre.) Encore eux ! Ah, ça n'en finira pas ! (*Il*
court à la fenêtre du fond.) Assez ! Assez !
Salauds ! (*Les rhinocéros s'éloignent, Bérenger*
montre le poing dans leur direction.)

DUDARD (*assis*). — Je veux bien le connaître,
votre Logicien. S'il veut m'éclairer sur ces
points délicats, délicats et obscurs... Je ne demande pas mieux, ma foi.

BÉRENGER (*tout en courant à la fenêtre face*
à la scène). — Oui, je vous l'amènerai, il vous
parlera. Vous verrez, c'est une personnalité dis-
tinguée. (*En direction des rhinocéros, à la fe-*
nêtre :) Salauds ! (*Même jeu que tout à*
l'heure.)

DUDARD. — Laissez-les courir. Et soyez plus
poli. On ne parle pas de la sorte à des créatures...

BÉRENGER (*toujours à la fenêtre*). — En re-
voilà ! (*De la fosse d'orchestre, sous la fenêtre,*
on voit émerger un canotier transpercé par une
corne de rhinocéros qui, de gauche, disparaît
très vite vers la droite.) Un canotier empalé
sur la corne du rhinocéros ! Ah, c'est le canotier du Logicien ! le canotier du Logicien !

Mille fois merde, le Logicien est devenu rhinocéros !

DUDARD. — Ce n'est pas une raison pour être grossier !

BÉRENGER. — A qui se fier, mon Dieu, à qui se fier ! Le Logicien est rhinocéros !

DUDARD (*allant vers la fenêtre*). — Où est-il ?

BÉRENGER (*montrant du doigt*). — Là, celui-là, vous voyez !

DUDARD. — C'est le seul rhinocéros à canotier. Cela vous laisse rêveur. C'est bien votre Logicien !...

BÉRENGER. — Le Logicien... rhinocéros !

DUDARD. — Il a tout de même conservé un vestige de son ancienne individualité !

BÉRENGER (*il montre de nouveau le poing en direction du rhinocéros à canotier qui a disparu*). — Je ne vous suivrai pas ! je ne vous suivrai pas !

DUDARD. — Si vous dites que c'était un penseur authentique, il n'a pas dû se laisser emporter. Il a dû bien peser le pour et le contre, avant de choisir.

BÉRENGER (*toujours criant à la fenêtre en direction de l'ex-Logicien et des autres rhinocéros qui se sont éloignés*). — Je ne vous suivrai pas !

DUDARD (*s'installant dans son fauteuil*). — Oui, cela donne à réfléchir ! (*Bérenger ferme la*

164

fenêtre en face, se dirige vers la fenêtre du fond, par où passent d'autres rhinocéros qui, vraisemblablement, font le tour de la maison. Il ouvre la fenêtre, leur crie.)

Bérenger. — Non, je ne vous suivrai pas !

Dudard (*à part dans son fauteuil*). — Ils tournent autour de la maison. Ils jouent ! De grands enfants ! *Depuis quelques instants on a pu voir Daisy monter les dernières marches de l'escalier, à gauche. Elle frappe à la porte de Bérenger. Elle porte un panier sous son bras.*) On frappe, Bérenger, il y a quelqu'un ! (*Il tire par la manche Bérenger qui est toujours à la fenêtre.*)

Bérenger (*criant en direction des rhinocéros*). — C'est une honte ! une honte, votre mascarade.

Dudard. — On frappe à votre porte, Bérenger, vous n'entendez pas ?

Bérenger. — Ouvrez, si vous voulez ! (*Il continue de regarder les rhinocéros dont les bruits s'éloignent, sans plus rien dire. Dudard va ouvrir la porte.*)

Daisy (*entrant*). — Bonjour, monsieur Dudard.

Dudard. — Tiens, vous, mademoiselle Daisy !

Daisy. — Bérenger est là ? est-ce qu'il va mieux ?

DUDARD. — Bonjour, chère Mademoiselle, vous venez donc bien souvent chez Bérenger ?

DAISY. — Où est-il ?

DUDARD (*le montrant du doigt*). — Là.

DAISY. — Le pauvre, il n'a personne. Il est un peu malade aussi en ce moment, il faut bien l'aider un peu.

DUDARD. — Vous êtes une bien bonne camarade, mademoiselle Daisy.

DAISY. — Mais oui, je suis une bonne camarade, en effet.

DUDARD. — Vous avez bon cœur.

DAISY. — Je suis une bonne camarade, c'est tout.

BÉRENGER (*se retournant; laissant la fenêtre ouverte*). — Oh, chère mademoiselle Daisy ! Que c'est gentil à vous d'être venue, comme vous êtes aimable.

DUDARD. — On ne peut le nier.

BÉRENGER. — Vous savez, mademoiselle Daisy, le Logicien est rhinocéros !

DAISY. — Je sais, je viens de l'apercevoir dans la rue, en arrivant. Il courait bien vite, pour quelqu'un de son âge ! Vous allez mieux, monsieur Bérenger ?

BÉRENGER (*à Daisy*). — La tête, encore la tête ! mal à la tête ! C'est effrayant. Qu'est-ce que vous en pensez ?

DAISY. — Je pense que vous devez vous reposer... rester chez vous encore quelques jours, calmement.

DUDARD (*à Bérenger et à Daisy*). — J'espère que je ne vous gêne pas !

BÉRENGER (*à Daisy*). — Je parle du Logicien...

DAISY (*à Dudard*). — Pourquoi nous gêneriez-vous ? (*A Bérenger.*) Ah, le Logicien ? Je n'en pense rien du tout !

DUDARD (*à Daisy*). — Je suis peut-être de trop ?

DAISY (*à Bérenger*). — Que voulez-vous que j'en pense ! (*A Bérenger et à Dudard.*) J'ai une nouvelle fraîche à vous donner : Botard est devenu rhinocéros.

DUDARD. — Tiens !

BÉRENGER. — Ce n'est pas possible ! Il était contre. Vous devez confondre. Il avait protesté. Dudard vient de me le dire, à l'instant. N'est-ce pas, Dudard ?

DUDARD. — C'est exact.

DAISY. — Je sais qu'il était contre. Pourtant, il est devenu tout de même rhinocéros, vingt-quatre heures après la transformation de M. Papillon.

DUDARD. — Voilà ! il a changé d'idée ! Tout le monde a le droit d'évoluer.

BÉRENGER. — Mais alors, alors on peut s'attendre à tout !

DUDARD (*à Bérenger*). — C'est un brave homme, d'après ce que vous affirmiez tout à l'heure.

BÉRENGER (*à Daisy*). — J'ai du mal à vous croire. On vous a menti.

DAISY. — Je l'ai vu faire.

BÉRENGER. — Alors, c'est lui qui a menti, il a fait semblant.

DAISY. — Il avait l'air sincère, la sincérité même.

BÉRENGER. — A-t-il donné une raison ?

DAISY. — Il a dit textuellement : il faut suivre son temps ! Ce furent ses dernières paroles humaines !

DUDARD (*à Daisy*). — J'étais presque sûr que j'allais vous rencontrer ici, mademoiselle Daisy.

BÉRENGER. — ... Suivre son temps ! Quelle mentalité ! (*Il fait un grand geste.*)

DUDARD (*à Daisy*). — Impossible de vous rencontrer nulle part ailleurs, depuis la fermeture du bureau.

BÉRENGER (*continuant à part*). — Quelle naïveté ! (*Même geste.*)

DAISY (*à Dudard*). — Si vous vouliez me voir, vous n'aviez qu'à me téléphoner !

DUDARD (*à Daisy*). — ... Oh, je suis discret, discret, Mademoiselle, moi.

BÉRENGER. — Eh bien, réflexion faite, le coup de tête de Botard ne m'étonne pas. Sa fermeté n'était qu'apparente. Ce qui ne l'empêche pas, bien sûr, d'être ou d'avoir été un brave homme. Les braves hommes font les braves rhinocéros. Hélas ! C'est parce qu'ils sont de bonne foi, on peut les duper.

DAISY. — Permettez-moi de mettre ce panier sur la table. (*Elle met le panier sur la table.*)

BÉRENGER. — Mais c'était un brave homme qui avait des ressentiments...

DUDARD (*à Daisy, s'empressant de l'aider à déposer son panier*). — Excusez-moi, excusez-nous, on aurait dû vous débarrasser plus tôt.

BÉRENGER (*continuant*). — ...Il a été déformé par la haine de ses chefs, un complexe d'infériorité...

DUDARD (*à Bérenger*). — Votre raisonnement est faux puisqu'il a suivi son chef justement, l'instrument même de ses exploitants, c'était son expression. Au contraire, chez lui, il me semble que c'est l'esprit communautaire qui l'a emporté sur ses impulsions anarchiques.

BÉRENGER. — Ce sont les rhinocéros qui sont anarchiques puisqu'ils sont en minorité.

DUDARD. — Ils le sont encore, pour le moment.

DAISY. — C'est une minorité déjà nombreuse qui va croissant. Mon cousin est devenu rhinocéros, et sa femme. Sans compter les personnalités : le Cardinal de Retz...

DUDARD. — Un prélat !

DAISY. — Mazarin.

DUDARD. — Vous allez voir que ça va s'étendre dans d'autres pays.

BÉRENGER. — Dire que le mal vient de chez nous !

DAISY. — ... Et des aristocrates : le duc de Saint-Simon.

BÉRENGER (*bras au ciel*). — Nos classiques !

DAISY. — Et d'autres encore. Beaucoup d'autres. Peut-être un quart des habitants de la ville.

BÉRENGER. — Nous sommes encore les plus nombreux. Il faut en profiter. Il faut faire quelque chose avant d'être submergés.

DUDARD. — Ils sont très efficaces, très efficaces.

DAISY. — Pour le moment, on devrait déjeuner. J'ai apporté de quoi manger.

BÉRENGER. — Vous êtes très gentille, mademoiselle Daisy.

DUDARD (*à part*). — Oui, très gentille.

BÉRENGER (*à Daisy*). — Je ne sais comment vous remercier.

DAISY (*à Dudard*). — Voulez-vous rester avec nous ?

DUDARD. — Je ne voudrais pas être importun.

DAISY (*à Dudard*). — Que dites-vous là, monsieur Dudard ? Vous savez bien que vous nous feriez plaisir.

DUDARD. — Vous savez bien que je ne veux pas gêner...

BÉRENGER (*à Dudard*). — Mais bien sûr, Dudard, bien sûr. Votre présence est toujours un plaisir.

DUDARD. — C'est que je suis un peu pressé. J'ai un rendez-vous.

BÉRENGER. — Tout à l'heure, vous disiez que vous aviez tout votre temps.

DAISY (*sortant les provisions du panier*). — Vous savez, j'ai eu du mal à trouver de quoi manger. Les magasins sont ravagés : ils dévorent tout. Une quantité d'autres boutiques sont fermées : « Pour cause de transformation », est-il écrit sur les écriteaux.

BÉRENGER. — On devrait les parquer dans de vastes enclos, leur imposer des résidences surveillées.

DUDARD. — La mise en pratique de ce projet ne me semble pas possible. La société protectrice des animaux serait la première à s'y opposer.

DAISY. — D'autre part, chacun a parmi les rhinocéros un parent proche, un ami, ce qui complique encore les choses.

BÉRENGER. — Tout le monde est dans le coup, alors !

171

DUDARD. — Tout le monde est solidaire.

BÉRENGER. — Mais comment peut-on être rhinocéros ? C'est impensable, impensable ! (*A Daisy.*) Voulez-vous que je vous aide à mettre la table ?

DAISY (*à Bérenger*). — Ne vous dérangez pas. Je sais où sont les assiettes. (*Elle va chercher dans un placard, d'où elle rapportera les couverts.*)

DUDARD (*à part*). — Oh, mais elle connaît très bien la maison...

DAISY (*à Dudard*). — Alors trois couverts, n'est-ce pas, vous restez avec nous ?

BÉRENGER (*à Dudard*). — Restez, voyons, restez.

DAISY (*à Bérenger*). — On s'y habitue, vous savez. Plus personne ne s'étonne des troupeaux de rhinocéros parcourant les rues à toute allure. Les gens s'écartent sur leur passage, puis reprennent leur promenade, vaquent à leurs affaires, comme si de rien n'était.

DUDARD. — C'est ce qu'il y a de plus sage.

BÉRENGER. — Ah non, moi, je ne peux pas m'y faire.

DUDARD (*réfléchissant*). — Je me demande si ce n'est pas une expérience à tenter.

DAISY. — Pour le moment, déjeunons.

BÉRENGER. — Comment, vous, un juriste, vous pouvez prétendre que... (*On entend du*

*dehors un grand bruit d'un troupeau de rhino-
céros, allant à une cadence très rapide. On entend aussi des trompettes, des tambours.)*
Qu'est-ce que c'est ? (*Ils se précipitent tous vers
la fenêtre de face.*) Qu'est-ce que c'est ? (*On
entend le bruit d'un mur qui s'écroule. De la
poussière envahit une partie du plateau, les
personnages, si cela est possible, sont cachés par
cette poussière. On les entend parler.*)

Bérenger. — On ne voit plus rien, que se
passe-t-il ?

Dudard. — On ne voit plus rien, mais on
entend.

Bérenger. — Ça ne suffit pas !

Daisy. — La poussière va salir les assiettes.

Bérenger. — Quel manque d'hygiène.

Daisy. — Dépêchons-nous de manger. Ne
pensons plus à tout cela. (*La poussière se dis-
perse.*)

Bérenger (*montrant du doigt dans la salle*).
— Ils ont démoli les murs de la caserne des
pompiers.

Dudard. — En effet. Ils sont démolis.

Daisy (*qui s'était éloignée de la fenêtre et se
trouvait près de la table, une assiette à la main
qu'elle était en train de nettoyer, se précipite
près des deux autres personnages*). — Ils sortent.

BÉRENGER. — Tous les pompiers, tout un régiment de rhinocéros, tambours en tête.

DAISY. — Ils se déversent sur les boulevards !

BÉRENGER. — Ce n'est plus tenable, ce n'est plus tenable !

DAISY. — D'autres rhinocéros sortent des cours !

BÉRENGER. — Il en sort des maisons...

DUDARD. — Par les fenêtres aussi !

DAISY. — Ils vont rejoindre les autres. (*On voit sortir de la porte du palier, à gauche, un homme qui descend les escaliers à toute allure; puis un autre homme, ayant une grande corne au-dessus du nez; puis une femme ayant toute la tête d'un rhinocéros.*)

DUDARD. — Nous n'avons déjà plus le nombre pour nous.

BÉRENGER. — Combien y a-t-il d'unicornus, combien de bicornus parmi eux ?

DUDARD. — Les statisticiens doivent certainement être en train de statistiquer là-dessus. Quelle occasion de savantes controverses !

BÉRENGER. — Le pourcentage des uns et des autres doit être calculé tout à fait approximativement. Ça va trop vite. Ils n'ont plus le temps. Ils n'ont plus le temps de calculer !

DAISY. — La chose la plus sensée est de laisser les statisticiens à leurs travaux. Allons, mon cher Bérenger, venez déjeuner. Cela vous calmera. Ça va vous remonter. (*A Dudard.*) Et vous aussi. (*Ils s'écartent de la fenêtre, Béren-ger, dont Daisy a pris le bras, se laisse entraî-ner facilement. Dudard s'arrête à mi-chemin.*)

Dudard. — Je n'ai pas très faim, ou plutôt, je n'aime pas tellement les conserves. J'ai envie de manger sur l'herbe.

Bérenger. — Ne faites pas ça. Savez-vous ce que vous risquez ?

Dudard. — Je ne veux pas vous gêner, vrai-ment.

Bérenger. — Puisqu'on vous dit que...

Dudard (*interrompant Bérenger*). — C'est sans façon.

Daisy (*à Dudard*). — Si vous voulez nous quitter absolument, écoutez, on ne peut vous obliger de...

Dudard. — Ce n'est pas pour vous vexer.

Bérenger (*à Daisy*). — Ne le laissez pas partir, ne le laissez pas partir.

Daisy. — Je voudrais bien qu'il reste... cepen-dant, chacun est libre.

Bérenger (*à Dudard*). — L'homme est supé-rieur au rhinocéros !

Dudard. — Je ne dis pas le contraire. Je ne vous approuve pas non plus. Je ne sais pas, c'est l'expérience qui le prouve.

Bérenger (*à Dudard*). — Vous aussi, vous

êtes un faible, Dudard. C'est un engouement passager, que vous regretterez.

DAISY. — Si, vraiment, c'est un engouement passager, le danger n'est pas grave.

DUDARD. — J'ai des scrupules ! Mon devoir m'impose de suivre mes chefs et mes camarades, pour le meilleur et pour le pire.

BÉRENGER. — Vous n'êtes pas marié avec eux.

DUDARD. — J'ai renoncé au mariage, je préfère la grande famille universelle à la petite.

DAISY (*mollement*). — Nous vous regretterons beaucoup, Dudard, mais nous n'y pouvons rien.

DUDARD. — Mon devoir est de ne pas les abandonner, j'écoute mon devoir.

BÉRENGER. — Au contraire, votre devoir est de... vous ne connaissez pas votre devoir véritable... votre devoir est de vous opposer à eux, lucidement, fermement.

DUDARD. — Je conserverai ma lucidité. (*Il se met à tourner en rond sur le plateau.*) Toute ma lucidité. S'il y a à critiquer, il vaut mieux critiquer du dedans que du dehors. Je ne les abandonnerai pas, je ne les abandonnerai pas.

DAISY. — Il a bon cœur !

BÉRENGER. — Il a trop bon cœur. (*A Dudard, puis se précipitant vers la porte.*) Vous avez

trop bon cœur, vous êtes humain. (*A Daisy.*)
Retenez-le. Il se trompe. Il est humain.

Daisy. — Que puis-je y faire ? (*Dudard ouvre
la porte et s'enfuit; on le voit descendre les
escaliers à toute vitesse, suivi par Bérenger qui
crie après Dudard, du haut du palier.*)

Bérenger. — Revenez, Dudard. On vous
aime bien, n'y allez pas ! Trop tard ! (*Il rentre.*)
Trop tard !

Daisy. — On n'y pouvait rien. (*Elle ferme
la porte derrière Bérenger, qui se précipite vers
la fenêtre, en face.*)

Bérenger. — Il les a rejoints, où est-il maintenant ?

Daisy (*venant à la fenêtre*). — Avec eux.

Bérenger. — Lequel est-ce ?

Daisy. — On ne peut plus savoir. On ne
peut déjà plus le reconnaître !

Bérenger. — Ils sont tous pareils, tous pareils ! (*A Daisy.*) Il a flanché. Vous auriez dû
le retenir de force.

Daisy. — Je n'ai pas osé.

Bérenger. — Vous auriez dû être plus ferme,
vous auriez dû insister, il vous aimait, n'est-ce
pas ?

Daisy. — Il ne m'a jamais fait de déclara-
tion officielle.

Bérenger. — Tout le monde le savait. C'est
par dépit amoureux, qu'il a fait cela. C'était

un timide ! Il a voulu faire une action d'éclat,
pour vous impressionner. N'êtes-vous pas tentée
de le suivre ?

Daisy. — Pas du tout. Puisque je suis là.

Bérenger (*regardant par la fenêtre*). — Il
n'y a plus qu'eux, dans les rues. (*Il se précipite
vers la fenêtre du fond.*) Il n'y a plus qu'eux !
Vous avez eu tort, Daisy. (*Il regarde de nouveau par la fenêtre de face.*) A perte de vue,
pas un être humain. Ils ont la rue. Des uni-
cornes, des bicornus, moitié moitié, pas d'autres signes distinctifs ! (*On entend les bruits
puissants de la course des rhinocéros. Ces
bruits sont musicalisés cependant. On voit
apparaître, puis disparaître sur le mur du fond,
des têtes de rhinocéros stylisées qui, jusqu'à
la fin de l'acte, seront de plus en plus nom-
breuses. A la fin, elles s'y fixeront de plus en
plus longtemps puis, finalement, remplissant
le mur du fond, s'y fixeront définitivement.
Ces têtes devront être de plus en plus belles
malgré leur monstruosité.*) Vous n'êtes pas dé-
çue, Daisy ? n'est-ce pas ? Vous ne regrettez
rien ?

Daisy. — Oh, non, non.

Bérenger. — Je voudrais tellement vous
consoler. Je vous aime, Daisy, ne me quittez
plus.

Daisy. — Ferme la fenêtre, chéri. Ils font

trop de bruit. Et la poussière monte jusqu'ici. Ça va tout salir.

Bérenger. — Oui, oui. Tu as raison. (*Il ferme la fenêtre de face, Daisy, celle du fond. Ils se rejoignent au milieu du plateau.*) Tant que nous sommes ensemble, je ne crains rien, tout m'est égal. Ah ! Daisy, je croyais que je n'allais plus jamais pouvoir devenir amoureux d'une femme. (*Il lui serre les mains, les bras.*)

Daisy. — Tu vois, tout est possible.

Bérenger. — Comme je voudrais te rendre heureuse ! Peux-tu l'être avec moi ?

Daisy. — Pourquoi pas ? Si tu l'es, je le suis. Tu dis que tu ne crains rien, et tu as peur de tout ! Que peut-il nous arriver ?

Bérenger (*balbutiant*). — Mon amour, ma joie ! ma joie, mon amour... donne-moi tes lèvres, je ne me croyais plus capable de tant de passion !

Daisy. — Sois plus calme, sois plus sûr de toi, maintenant.

Bérenger. — Je le suis, donne-moi tes lèvres.

Daisy. — Je suis très fatiguée, mon chéri. Calme-toi, repose-toi. Installe-toi dans le fauteuil. (*Bérenger va s'installer dans le fauteuil, conduit par Daisy.*)

Bérenger. — Ce n'était pas la peine, dans ce cas, que Dudard se soit querellé avec Botard.

Daisy. — Ne pense plus à Dudard. Je suis

près de toi. Nous n'avons pas le droit de nous mêler de la vie des gens.

Bérenger. — Tu te mêles bien de la mienne. Tu sais être ferme avec moi.

Daisy. — Ça n'est pas la même chose, je n'ai jamais aimé Dudard.

Bérenger. — Je te comprends. S'il était resté là, il aurait été tout le temps un obstacle entre nous. Eh oui, le bonheur est égoïste.

Daisy. — Il faut défendre son bonheur. N'ai-je pas raison ?

Bérenger. — Je t'adore, Daisy. Je t'admire.

Daisy. — Quand tu me connaîtras mieux, tu ne me le diras plus peut-être.

Bérenger. — Tu gagnes à être connue, et tu es si belle, tu es si belle. (*On entend de nouveau un passage de rhinocéros.*) ... Surtout, quand on te compare à ceux-ci... (*Il montre de la main en direction de la fenêtre.*) Tu vas me dire que ce n'est pas un compliment, mais ils font encore mieux ressortir ta beauté...

Daisy. — Tu as été bien sage aujourd'hui ? Tu n'as pas pris de cognac ?

Bérenger. — Oui, oui, j'ai été sage.

Daisy. — C'est bien vrai ?

Bérenger. — Ah ça oui, je t'assure.

Daisy. — Dois-je te croire ?

Bérenger (*un peu confus*). — Oh oui, crois-moi, oui.

DAISY. — Alors, tu peux en prendre un petit verre. Ça va te remonter. (*Bérenger veut se précipiter.*) Reste assis, mon chéri. Où est la bouteille ?

BÉRENGER (*indiquant l'endroit*). — Là, sur la petite table.

DAISY (*se dirigeant vers la petite table d'où elle prendra le verre et la bouteille*). — Tu l'as bien cachée.

BÉRENGER. — C'est pour ne pas être tenté d'y toucher.

DAISY (*après avoir versé un petit verre à Bérenger, elle le lui tend*). — Tu es vraiment bien sage. Tu fais des progrès.

BÉRENGER. — Avec toi, j'en ferai encore davantage.

DAISY (*tendant le verre*). — Tiens, c'est ta récompense.

BÉRENGER (*boit le verre d'un trait*). — Merci. (*Il tend de nouveau son verre.*)

DAISY. — Ah, non, mon chéri. Ça suffit pour ce matin. (*Elle prend le verre de Bérenger, va le porter avec la bouteille sur la petite table.*) Je ne veux pas que ça te fasse du mal. (*Elle revient vers Bérenger.*) Et la tête, comment va-t-elle ?

BÉRENGER. — Beaucoup mieux, mon amour.

DAISY. — Alors, nous allons enlever ce pansement. Ça ne te va pas très bien.

Bérenger. — Ah non, n'y touche pas.

Daisy. — Mais si, on va l'enlever.

Bérenger. — J'ai peur qu'il n'y ait quelque chose dessous.

Daisy (*enlevant le pansement, malgré l'opposition de Bérenger*). — Toujours tes peurs, tes idées noires. Tu vois, il n'y a rien. Ton front est lisse.

Bérenger (*se tâtant le front*). — C'est vrai, tu me libères de mes complexes. (*Daisy embrasse Bérenger sur le front.*) Que deviendrais-je sans toi ?

Daisy. — Je ne te laisserai plus jamais seul.

Bérenger. — Avec toi, je n'aurai plus d'angoisses.

Daisy. — Je saurai les écarter.

Bérenger. — Nous lirons des livres ensemble. Je deviendrai érudit.

Daisy. — Et surtout, aux heures où il y a moins d'affluence, nous ferons de longues promenades.

Bérenger. — Oui, sur les bords de la Seine, au Luxembourg...

Daisy. — Au jardin zoologique.

Bérenger. — Je serai fort et courageux. Je te défendrai, moi aussi, contre tous les méchants.

Daisy. — Tu n'auras pas à me défendre, va.

Nous ne voulons de mal à personne. Personne ne nous veut du mal, chéri.

Bérenger. — Parfois, on fait du mal sans le vouloir. Ou bien, on le laisse se répandre. Tu vois, tu n'aimais pas non plus ce pauvre Monsieur Papillon. Mais tu n'aurais peut-être pas dû lui dire, si crûment, le jour de l'apparition de Bœuf en rhinocéros, qu'il avait les paumes des mains rugueuses.

Daisy. — C'était vrai. Il les avait.

Bérenger. — Bien sûr, chérie. Pourtant, tu aurais pu lui faire remarquer cela avec moins de brutalité, avec plus de ménagement. Il en a été impressionné.

Daisy. — Tu crois ?

Bérenger. — Il ne l'a pas fait voir, car il a de l'amour-propre. Il a certainement été touché en profondeur. C'est cela qui a dû précipiter sa décision. Peut-être aurais-tu sauvé une âme !

Daisy. — Je ne pouvais pas prévoir ce qui allait lui arriver... Il a été mal élevé.

Bérenger. — Moi, pour ma part, je me reprocherai toujours de ne pas avoir été plus doux avec Jean. Je n'ai jamais pu lui prouver, de façon éclatante, toute l'amitié que j'avais pour lui. Et je n'ai pas été assez compréhensif avec lui.

Daisy. — Ne te tracasse pas. Tu as tout de

même fait de ton mieux. On ne peut faire l'impossible. A quoi bon les remords ? Ne pense donc plus à tous ces gens-là. Oublie-les. Laisse les mauvais souvenirs de côté.

BÉRENGER. — Ils se font entendre ces souvenirs, ils se font voir. Ils sont réels.

DAISY. — Je ne te croyais pas si réaliste, je te croyais plus poétique. Tu n'as donc pas d'imagination ? il y a plusieurs réalités ! Choisis celle qui te convient. Evade-toi dans l'imaginaire.

BÉRENGER. — Facile à dire !

DAISY. — Est-ce que je ne te suffis pas ?

BÉRENGER. — Oh si, amplement, amplement !

DAISY. — Tu vas tout gâcher avec tes cas de conscience ! Nous avons tous des fautes, peut-être. Pourtant, toi et moi, nous en avons moins que tant d'autres.

BÉRENGER. — Tu crois vraiment ?

DAISY. — Nous sommes relativement meilleurs que la plupart des gens. Nous sommes bons, tous les deux.

BÉRENGER. — C'est vrai, tu es bonne et je suis bon. C'est vrai.

DAISY. — Alors, nous avons le droit de vivre. Nous avons même le devoir, vis-à-vis de nous-mêmes, d'être heureux, indépendamment de tout. La culpabilité est un symptôme dangereux. C'est un signe de manque de pureté.

Bérenger. — Ah oui, cela peut mener à ça...
(*il montre du doigt en direction des fenêtres
sous lesquelles passent des rhinocéros, du mur
du fond où apparaît une tête de rhinocéros*)
... Beaucoup d'entre eux ont commencé comme
ça !

Daisy. — Essayons de ne plus nous sentir
coupables.

Bérenger. — Comme tu as raison, ma joie,
ma déesse, mon soleil... Je suis avec toi, n'est-ce
pas ? Personne ne peut nous séparer. Il y a
notre amour, il n'y a que cela de vrai. Personne
n'a le droit et personne ne peut nous empêcher
d'être heureux, n'est-ce pas ? (*On entend la
sonnerie du téléphone.*) Qui peut nous appeler ?

Daisy (*appréhensive*). — Ne réponds pas !...

Bérenger. — Pourquoi ?

Daisy. — Je ne sais pas. Cela vaut peut-être
mieux.

Bérenger. — C'est peut-être M. Papillon ou
Botard, ou Jean, ou Dudard qui veulent nous
annoncer qu'ils sont revenus sur leur décision.
Puisque tu disais que ce n'était, de leur part,
qu'un engouement passager !

Daisy. — Je ne crois pas. Ils n'ont pas pu
changer d'avis si vite. Ils n'ont pas eu le temps
de réfléchir. Ils iront jusqu'au bout de leur
expérience.

Bérenger. — Ce sont peut-être les autorités qui réagissent et qui nous demandent de les aider dans les mesures qu'ils vont prendre.

Daisy. — Cela m'étonnerait. (*Nouvelle sonnerie du téléphone.*)

Bérenger. — Mais si, mais si, c'est la sonnerie des autorités, je la reconnais. Une sonnerie longue ! Je dois répondre à leur appel. Ça ne peut plus être personne d'autre. (*Il décroche l'appareil.*) Allô ? (*Pour toute réponse, des barrissements se font entendre venant de l'écouteur.*) Tu entends ? Des barrissements ! Ecoute ! (*Daisy met le récepteur à l'oreille, a un recul, raccroche précipitamment l'appareil.*)

Daisy (*effrayée*). — Que peut-il bien se passer !

Bérenger. — Ils nous font des farces maintenant !

Daisy. — Des farces de mauvais goût.

Bérenger. — Tu vois, je te l'avais bien dit !

Daisy. — Tu ne m'as rien dit !

Bérenger. — Je m'y attendais, j'avais prévu.

Daisy. — Tu n'avais rien prévu du tout. Tu ne prévois jamais rien. Tu ne prévois les événements que lorsqu'ils sont déjà arrivés.

Bérenger. — Oh si, je prévois, je prévois.

Daisy. — Ils ne sont pas gentils. C'est méchant. Je n'aime pas qu'on se moque de moi.

186

BÉRENGER. — Ils n'oseraient pas se moquer de toi. C'est de moi qu'ils se moquent.

DAISY. — Et comme je suis avec toi, bien entendu, j'en prends ma part. Ils se vengent. Mais qu'est-ce qu'on leur a fait ? (*Nouvelle sonnerie du téléphone.*) Enlève les plombs.

BÉRENGER. — Les P.T.T. ne permettent pas !

DAISY. — Ah, tu n'oses rien, et tu prends ma défense ! (*Daisy enlève les plombs, la sonnerie cesse.*)

BÉRENGER (*se précipitant vers le poste de T.S.F.*) Faisons marcher le poste, pour connaître les nouvelles.

DAISY. — Oui, il faut savoir où nous en sommes ! (*Des barrissements partent du poste. Bérenger tourne vivement le bouton. Le poste s'arrête. On entend cependant encore, dans le lointain, comme des échos de barrissements.*) Ça devient vraiment sérieux ! Je n'aime pas cela, je n'admets pas ! (*Elle tremble.*)

BÉRENGER (*très agité*). — Du calme ! du calme !

DAISY. — Ils ont occupé les installations de la radio !

BÉRENGER (*tremblant et agité*). — Du calme ! du calme ! du calme ! (*Daisy court vers la fenêtre du fond, regarde, puis vers la fenêtre de face et regarde; Bérenger fait la même chose en sens inverse, puis tous deux se retrouvent*

187

au milieu du plateau, l'un en face de l'autre.)

Daisy. — Ça n'est plus du tout de la plaisanterie. Ils se sont vraiment pris au sérieux !

Bérenger. — Il n'y a plus qu'eux, il n'y a plus qu'eux. Les autorités sont passées de leur côté. (*Même jeu que tout à l'heure de Daisy et Bérenger vers les deux fenêtres, puis les deux personnages se rejoignent de nouveau au milieu du plateau.*)

Daisy. — Il n'y a plus personne nulle part.

Bérenger. — Nous sommes seuls, nous sommes restés seuls.

Daisy. — C'est bien ce que tu voulais.

Bérenger. — C'est toi qui le voulais !

Daisy. — C'est toi.

Bérenger. — Toi ! (*Les bruits s'entendent de partout. Les têtes de rhinocéros remplissent le mur du fond. De droite, et de gauche, dans la maison on entend des pas précipités, des souffles bruyants de fauves. Tous ces bruits effrayants sont, cependant, rythmés, musicalisés. C'est aussi et surtout d'en haut que viennent les plus forts, les bruits des piétinements. Du plâtre tombe du plafond. La maison s'ébranle violemment.*)

Daisy. — La terre tremble ! (*Elle ne sait où courir.*)

Bérenger. — Non, ce sont nos voisins, les Périssodactyles ! (*Il montre le poing à droite, à gauche, partout.*) Arrêtez donc ! Vous nous empêchez de travailler ! Les bruits sont défendus ! Défendu de faire du bruit.

DAISY. — Ils ne t'écouteront pas ! (*Cependant, les bruits diminuent, et ne constituent plus qu'une sorte de fond sonore et musical.*)

BÉRENGER (*effrayé, lui aussi*). — N'aie pas peur, mon amour. Nous sommes ensemble, n'es-tu pas bien avec moi ? Est-ce que je ne te suffis pas ? J'écarterai de toi toutes les angoisses.

DAISY. — C'est peut-être notre faute.

BÉRENGER. — N'y pense plus. Il ne faut pas avoir de remords. Le sentiment de la culpabilité est dangereux. Vivons notre vie, soyons heureux. Nous avons le devoir d'être heureux. Ils ne sont pas méchants, on ne leur fait pas de mal. Ils nous laisseront tranquilles. Calme-toi. Repose-toi. Installe-toi dans le fauteuil. (*Il la conduit jusqu'au fauteuil.*) Calme-toi ! (*Daisy s'installe dans le fauteuil.*) Veux-tu un verre de cognac, pour te remonter ?

DAISY. — J'ai mal à la tête.

BÉRENGER (*prenant le pansement de tout à l'heure et bandageant la tête de Daisy*). — Je t'aime, mon amour. Ne t'en fais pas, ça leur passera. Un engouement passager.

DAISY. — Ça ne leur passera pas. C'est définitif.

BÉRENGER. — Je t'aime, je t'aime follement.

DAISY (*enlevant son bandage*). — Advienne que pourra. Que veux-tu qu'on y fasse ?

BÉRENGER. — Ils sont tous devenus fous. Le monde est malade. Ils sont tous malades.

DAISY. — Ça n'est pas nous qui les guérirons.

BÉRENGER. — Comment vivre dans la maison, avec eux ?

DAISY (*se calmant*). — Il faut être raisonnable. Il faut trouver un *modus vivendi,* il faut tâcher de s'entendre avec.

BÉRENGER. — Ils ne peuvent pas nous entendre.

DAISY. — Il le faut pourtant. Pas d'autre solution.

BÉRENGER. — Tu les comprends, toi ?

DAISY. — Pas encore. Mais nous devrions essayer de comprendre leur psychologie, d'apprendre leur langage.

BÉRENGER. — Ils n'ont pas de langage ! Ecoute... tu appelles ça un langage ?

DAISY. — Qu'est-ce que tu en sais ? Tu n'es pas polyglotte !

BÉRENGER. — Nous en parlerons plus tard. Il faut déjeuner d'abord.

DAISY. — Je n'ai plus faim. C'est trop. Je ne peux plus résister.

BÉRENGER. — Mais tu es plus forte que moi.

Tu ne vas pas te laisser impressionner. C'est pour ta vaillance que je t'admire.

Daisy. — Tu me l'as déjà dit.

Bérenger. — Tu es sûre de mon amour ?

Daisy. — Mais oui.

Bérenger. — Je t'aime.

Daisy. — Tu te répètes, mon chou.

Bérenger. — Ecoute, Daisy, nous pouvons faire quelque chose. Nous aurons des enfants, nos enfants en auront d'autres, cela mettra du temps, mais à nous deux nous pourrons régénérer l'humanité.

Daisy. — Régénérer l'humanité ?

Bérenger. — Cela s'est déjà fait.

Daisy. — Dans le temps. Adam et Eve... Ils avaient beaucoup de courage.

Bérenger. — Nous aussi, nous pouvons avoir du courage. Il n'en faut pas tellement d'ailleurs. Cela se fait tout seul, avec du temps, de la patience.

Daisy. — A quoi bon ?

Bérenger. — Si, si, un peu de courage, un tout petit peu.

Daisy. — Je ne veux pas avoir d'enfants. Ça m'ennuie.

Bérenger. — Comment veux-tu sauver le monde alors ?

Daisy. — Pourquoi le sauver ?

BÉRENGER. — Quelle question !... Fais ça
pour moi, Daisy. Sauvons le monde.

DAISY. — Après tout, c'est peut-être nous
qui avons besoin d'être sauvés. C'est nous, peut-
être, les anormaux.

BÉRENGER. — Tu divagues, Daisy, tu as de la
fièvre.

DAISY. — En vois-tu d'autres de notre espèce ?

BÉRENGER. — Daisy, je ne veux pas t'entendre dire cela ! (*Daisy regarde de tous les côtés,
vers tous les rhinocéros dont on voit les têtes
sur les murs, à la porte du palier, et aussi appa-
raissant sur le bord de la rampe.*)

DAISY. — C'est ça les gens. Ils ont l'air gais.
Ils se sentent bien dans leur peau. Ils n'ont pas
l'air d'être fous. Ils sont très naturels. Ils ont eu
des raisons.

BÉRENGER (*joignant les mains et regardant
Daisy désespérément*). — C'est nous qui avons
raison, Daisy, je t'assure.

DAISY. — Quelle prétention !...

BÉRENGER. — Tu sais bien que j'ai raison.

DAISY. — Il n'y a pas de raison absolue. C'est
le monde qui a raison, ce n'est pas toi, ni moi.

BÉRENGER. — Si, Daisy, j'ai raison. La preuve
c'est que tu me comprends quand je te parle.

DAISY. — Ça ne prouve rien.

BÉRENGER. — La preuve, c'est que je t'aime

autant qu'un homme puisse aimer une femme.

Daisy. — Drôle d'argument !

Bérenger. — Je ne te comprends plus, Daisy. Ma chérie, tu ne sais plus ce que tu dis ! L'amour ! l'amour, voyons, l'amour...

Daisy. — J'en ai un peu honte, de ce que tu appelles l'amour, ce sentiment morbide, cette faiblesse de l'homme. Et de la femme. Cela ne peut se comparer avec l'ardeur, l'énergie extraordinaire que dégagent tous ces êtres qui nous entourent.

Bérenger. — De l'énergie ? Tu veux de l'énergie ? Tiens, en voilà de l'énergie ! (*Il lui donne une gifle.*)

Daisy. — Oh ! Jamais, je n'aurais cru... (*Elle s'effondre dans le fauteuil.*)

Bérenger. — Oh, pardonne-moi, ma chérie, pardonne-moi ! (*Il veut l'embrasser, elle se dégage.*) Pardonne-moi, ma chérie. Je n'ai pas voulu. Je ne sais pas ce qui m'est arrivé, comment ai-je pu me laisser emporter !

Daisy. — C'est parce que tu n'as plus d'arguments; c'est simple.

Bérenger. — Hélas ! En quelques minutes, nous avons donc vécu vingt-cinq années de mariage.

Daisy. — J'ai pitié de toi aussi, je te comprends.

Bérenger (*tandis que Daisy pleure*). — Eh

bien, je n'ai plus d'arguments sans doute. Tu les crois plus forts que moi, plus forts que nous, peut-être.

Daisy. — Sûrement.

Bérenger. — Eh bien, malgré tout, je te le jure, je n'abdiquerai pas, moi, je n'abdiquerai pas.

Daisy (*elle se lève, va vers Bérenger, entoure son cou de ses bras*). — Mon pauvre chéri, je résisterai avec toi, jusqu'au bout.

Bérenger. — Le pourras-tu ?

Daisy. — Je tiendrai parole. Aie confiance. (*Bruits devenus mélodieux des rhinocéros.*) Ils chantent, tu entends ?

Bérenger. — Ils ne chantent pas, ils barrissent.

Daisy. — Ils chantent.

Bérenger. — Ils barrissent, je te dis.

Daisy. — Tu es fou, ils chantent.

Bérenger. — Tu n'as pas l'oreille musicale, alors !

Daisy. — Tu n'y connais rien en musique, mon pauvre ami, et puis, regarde, ils jouent, ils dansent.

Bérenger. — Tu appelles ça de la danse ?

Daisy. — C'est leur façon. Ils sont beaux.

Bérenger. — Ils sont ignobles !

Daisy. — Je ne veux pas qu'on en dise du mal. Ça me fait de la peine.

Bérenger. — Excuse-moi. Nous n'allons pas nous chamailler à cause d'eux.

Daisy. — Ce sont des dieux.

Bérenger. — Tu exagères, Daisy, regarde-les bien.

Daisy. — Ne sois pas jaloux, mon chéri. Pardonne-moi aussi. (*Elle se dirige de nouveau vers Bérenger, veut l'entourer de ses bras. C'est Bérenger maintenant qui se dégage.*)

Bérenger. — Je constate que nos opinions sont tout à fait opposées. Il vaut mieux ne plus discuter.

Daisy. — Ne sois pas mesquin, voyons.

Bérenger. — Ne sois pas sotte.

Daisy (*à Bérenger, qui lui tourne le dos. Il se regarde dans la glace, se dévisage*). — La vie en commun n'est plus possible. (*Tandis que Bérenger continue à se regarder dans la glace, elle se dirige doucement vers la porte en disant :* « Il n'est pas gentil, vraiment, il n'est pas gentil. » *Elle sort, on la voit descendre lentement le haut de l'escalier.*)

Bérenger (*se regardant toujours dans la glace*). — Ce n'est tout de même pas si vilain que ça, un homme. Et pourtant, je ne suis pas parmi les plus beaux ! Crois-moi, Daisy ! (*Il se retourne.*) Daisy ! Daisy ! Où es-tu, Daisy ? Tu ne vas pas faire ça ! (*Il se précipite vers la porte.*) Daisy ! (*Arrivé sur le palier, il se penche sur la balustrade.*) Daisy ! remonte ! reviens, ma petite Daisy ! Tu n'as même pas déjeuné ! Daisy, ne me laisse pas tout seul ! Qu'est-ce que tu m'avais promis ! Daisy ! Daisy ! (*Il renonce à l'appeler, fait un geste désespéré et rentre dans sa chambre.*) Evidemment. On ne s'entendait plus. Un ménage désuni. Ce n'était plus viable. Mais elle n'aurait pas dû me quitter sans s'expliquer. (*Il regarde partout.*) Elle ne m'a pas laissé un mot. Ça ne se fait pas. Je suis tout à fait seul maintenant. (*Il va fermer la porte à clé, soigneusement, mais avec colère.*) On ne m'aura pas, moi. (*Il ferme soigneusement les fenêtres.*) Vous ne m'aurez pas, moi. (*Il s'adresse à toutes les têtes de rhinocéros.*) Je ne vous suivrai pas, je ne vous comprends pas ! Je reste ce que je suis. Je suis un être humain. Un être humain. (*Il va s'asseoir dans le fauteuil.*) La situation est absolument intenable. C'est ma faute, si elle est partie. J'étais tout pour elle. Qu'est-ce qu'elle va devenir ? Encore quelqu'un sur la conscience. J'imagine le pire, le pire est possible. Pauvre enfant abandonnée dans cet univers de monstres ! Personne ne peut m'aider à la retrouver, personne, car il n'y a plus personne. (*Nouveaux barrissements, courses éperdues, nuages de poussière.*) Je ne veux pas les entendre. Je vais mettre du coton dans les oreilles. (*Il se met du coton dans les*

oreilles et se parle à lui-même, dans la glace.)
Il n'y a pas d'autre solution que de les convaincre, les convaincre, de quoi ? Et les muta-
tions sont-elles réversibles ? Hein, sont-elles
réversibles ? Ce serait un travail d'Hercule, au-
dessus de mes forces. D'abord, pour les convaincre, il faut leur parler. Pour leur parler, il faut
que j'apprenne leur langue. Ou qu'ils ap-
prennent la mienne ? Mais quelle langue est-ce
que je parle ? Quelle est ma langue ? Est-ce
du français, ça ? Ce doit bien être du français ?
Mais qu'est-ce que du français ? On peut appeler ça du français, si on veut, personne ne peut
le contester, je suis seul à le parler. Qu'est-ce
que je dis ? Est-ce que je me comprends, est-ce
que je me comprends ? (*Il va vers le milieu de
la chambre.*) Et si, comme me l'avait dit Daisy,
si c'est eux qui ont raison ? (*Il retourne vers
la glace.*) Un homme n'est pas laid, un homme
n'est pas laid ! (*Il se regarde en passant la main
sur sa figure.*) Quelle drôle de chose ! A quoi
je ressemble alors ? A quoi ? (*Il se précipite
vers un placard, en sort des photos, qu'il regarde.*) Des photos ! Qui sont-ils tous ces gens-
là ? M. Papillon, ou Daisy plutôt ? Et celui-là,
est-ce Botard ou Dudard, ou Jean ? ou moi,
peut-être ! (*Il se précipite de nouveau vers le
placard d'où il sort deux ou trois tableaux.*)
Oui, je me reconnais; c'est moi, c'est moi ! (*Il*

va raccrocher les tableaux sur le mur du fond, à côté des têtes des rhinocéros.) C'est moi, c'est moi. (*Lorsqu'il accroche les tableaux, on s'aperçoit que ceux-ci représentent un vieillard, une grosse femme, un autre homme. La laideur de ces portraits contraste avec les têtes des rhinocéros qui sont devenues très belles. Bérenger s'écarte pour contempler les tableaux.*) Je ne suis pas beau, je ne suis pas beau. (*Il décroche les tableaux, les jette par terre avec fureur, il va vers la glace.*) Ce sont eux qui sont beaux. J'ai eu tort ! Oh, comme je voudrais être comme eux. Je n'ai pas de corne, hélas ! Que c'est laid, un front plat. Il m'en faudrait une ou deux, pour rehausser mes traits tombants. Ça viendra peut-être, et je n'aurai plus honte, je pourrai aller tous les retrouver. Mais ça ne pousse pas ! (*Il regarde les paumes de ses mains.*) Mes mains sont moites. Deviendront-elles rugueuses ? (*Il enlève son veston, défait sa chemise, contemple sa poitrine dans la glace.*) J'ai la peau flasque. Ah, ce corps trop blanc, et poilu ! Comme je voudrais avoir une peau dure et cette magnifique couleur d'un vert sombre, une nudité décente, sans poils, comme la leur ! (*Il écoute les barrissements.*) Leurs chants ont du charme, un peu âpre, mais un charme certain ! Si je pouvais faire comme eux. (*Il essaye de les imiter.*) Ahh, Ahh, Brr ! Non, ça n'est pas ça ! Essayons encore, plus fort ! Ahh, Ahh, Brr ! non, non, ce n'est pas ça, que c'est faible, comme cela manque de vigueur ! Je n'arrive pas à barrir. Je hurle seulement. Ahh, Ahh, Brr ! Les hurlements ne sont pas des barrissements ! Comme j'ai mauvaise conscience, j'aurais dû les suivre à temps. Trop tard maintenant ! Hélas, je suis un monstre, je suis un monstre. Hélas, jamais je ne deviendrai rhinocéros, jamais, jamais ! Je ne peux plus changer. Je voudrais bien, je voudrais tellement, mais je ne peux pas. Je ne peux plus me voir. J'ai trop honte ! (*Il tourne le dos à la glace.*) Comme je suis laid ! Malheur à celui qui veut conserver son originalité ! (*Il a un brusque sursaut.*) Eh bien tant pis ! Je me défendrai contre tout le monde ! Ma carabine, ma carabine ! (*Il se retourne face au mur du fond où sont fixées les têtes des rhinocéros, tout en criant :*) Contre tout le monde, je me défendrai, contre tout le monde, je me défendrai ! Je suis le dernier homme, je le resterai jusqu'au bout ! Je ne capitule pas !

Rideau

TABLE

ŒUVRES D'EUGÈNE IONESCO

nrf

☆

Le Manteau d'Arlequin

nrf

ACHEVÉ D'IMPRIMER
LE 7 FÉVRIER 1969
IMPRIMERIE FIRMIN-DIDOT
PARIS-MESNIL-IVRY

Imprimé en France
N° *d'édition* : 14052.
Dépôt légal : 1er trimestre 1969. — 1905.

71
72
74
76
77
79
83
83